U0110306

27 南宋～元代
西元1127～1367年
[注音本]

全新 吳姐姐講歷史故事

吳涵碧◎著

目錄

【第590篇】

鞏信和趙時賞的故事。

介紹過張世傑、陸秀夫、謝枋得以後，我們再回頭看一看文天祥後來如何？

話說文天祥遭陳宜中排擠，只好前往江西，雖然接二連三遭到重挫，文天祥卻是屢敗屢起，毫不氣餒，他立刻又召集民兵，準備轟轟烈烈的幹它一場。

文丞相三個字畢竟仍然有相當的魅力，他登高一呼，湖南江西的一千義兵紛紛投効到他旗下。可惜，義兵有勇氣卻沒有作戰的能力，實在不是驍勇善戰的元兵對手，交鋒幾次之後，又頹然的敗下陣來，在方石嶺這個地方，被元軍逼得進退維谷。

白髮老將鞏信對文天祥說：『文丞相，你快離開，這兒就交給我了。』文天祥心忖，逃得一命，還可以重組軍隊再起，萬一被捕，一切都落空了。他老早抱定決心，不成功便成仁，但是他會全力以赴拚到底，絕不輕易放棄，束手就擒。

事不宜遲，文天祥對鞏信長長一揖，快馬加鞭的走了，鞏信率領數十名敢死隊，牢牢守在方石嶺洞口。

元軍遙遙看到數十名宋軍晃來晃去，一副悠哉遊哉，漫不經心的模樣，

疑心是誘敵之計，不敢放馬過來。爲了安全起見，元兵開始亂箭齊發。奇怪的是，射了好一陣子，洞口仍有數十人徘徊，元軍心想，果然有埋伏，幸好沒有貿貿然攻向前去，如此過了數個時辰，方石嶺前，依舊是數十宋軍，既未減少，卻也不見增加。

元軍認爲事有蹊蹺，派了人悄悄繞過後山，這才驚訝的看到，原來數十宋軍早已身如蜂窩，卻仍然靠在大石頭上，因此，遠遠望去彷彿還是活生生的。尤其爲首的鞏信，從頭到腳插滿了利箭，簡直像是刺蝟，他背後的石頭沾滿了鮮血，一滴一滴往下流著，他努力撐著，爲的就是掩護文天祥逃亡。

好一個熱血的鞏信！

元軍見此光景，知道被耍了一計，氣得直跳脚，更誓言非活捉文天祥不可。立刻翻身上馬，向前奔去。

蒙古馬本來就快如閃電，第二天一早，元兵已經趕到空坑這個地方。文天祥聽說元軍追來，拉著杜滸等人便逃。這一天，大霧瀰漫，伸手不見五指，怪的是文天祥起初沒命的逃，後面不斷傳來元兵達達的馬蹄聲，可是，過了一會兒，忽然間，一切歸於沉寂，四下靜得可怕。

元軍爲什麼停住脚步了呢？原來，他們誤以爲已經捉到了文天祥，在空坑這個地方，元兵截獲一頂轎子，掀開轎頂，只見裡面端坐一位溫文儒雅、氣質不俗的儒生。

『你是什麼人？』

『在下姓文。』儒生答道。

元軍原也沒見過文天祥，只知他是身長玉立的美男子，而眼前讀書人長相不俗，又說自己姓文，應該就沒錯了。其實，此乃趙時賞也，他與文天祥也是朋友，為了救文丞相出險，不惜李代桃僵冒充到底。

於是，元軍押著假文天祥，興高采烈回到元營。元將再三審問，趙時賞都自稱是文天祥，一直到有認得文天祥的看了趙時賞，才驚呼：『抓錯人了……』趙時賞的下場不問可知。

好一個熱血的趙時賞！

在空坑之難中，文天祥雖然僥倖脫險，但是他的妻子、一個兒子、兩個女兒都被俘虜而去。文天祥當然很傷心，國仇家恨卻支持他再接再厲。

文天祥又再度招兵買馬，在汀州、潮州、惠州一帶訓練軍隊，在這一段時候，端宗過世，帝昺即位，文天祥上表帝昺，帝昺封文天祥爲信國公。

文天祥部下有個叫陳懿的，原先是個盜賊，後來被招安。可是江山易改本性難移，沒過多久又想念殺人越貨的勾當，而且說幹就幹，狠狠做了幾票。文天祥惱怒陳懿敗壞軍紀，正要動手辦陳懿，陳懿竟然先一步投効元將張弘範。並且引領張弘範到海豐北邊的五坡嶺。

文天祥等人正在用飯，元軍突然闖了進來，撞個正著，文天祥心想，該來的終於要來的，也沒什麼好怕的，他從從容容把藏在身上的毒藥塞入口中，頓覺天旋地轉，說也怪哉，白面書生弱不禁風的文天祥，吞服毒藥之後，除了頭昏腦脹，竟然好好的沒死。

元兵把文天祥送到了潮陽，元將張弘範見了文天祥，嘿嘿乾笑兩聲：

『文丞相，我們又相見了。』

文天祥寒著臉不說話，心中直懊惱，爲何服下毒藥卻安然無恙，眞氣人啊。

張弘範知道文天祥是硬漢，親自爲他鬆了綁，請入上座。此時，張弘範正在對厓山發動總攻擊，遂把文天祥也帶了去。

張弘範對付不了張世傑的戰略，曾把歪腦筋動到文天祥身上，企圖用文天祥說服張世傑，誰知文天祥竟然寫了『人生自古誰無死，留取丹心照汗青』送給張世傑，勉勵他『留取丹心照汗青』。

文天祥以手無縛雞之力的書生，起而抗元，他屢起屢敗原是意料中事，難能可貴的是他屢敗屢起，每次失敗之後，他摀著創傷又站了起來，這份毅力，這份對國家永恆不變的愛，眞正應了聖經中所說的『愛是恆久忍耐』。

閱讀心得

【第591篇】

文天祥拒絕投降。

文天祥被俘以後，被張弘範押解一塊赴厓山，他聽得戰鼓鼕鼕的敲，號角嗚嗚的吹，他在心中默禱張世傑能夠打贏，雖然明明知道這是不可能的事。

過了幾天，一切歸於沉寂，靜得讓人發慌，文天祥心裡有數，一切都過去了，宋朝眞的滅亡了。但是，他不敢開口問，他不自覺的想要逃避現實，彷彿晚一天知道噩耗，宋朝就在世間多延續一天。

當張弘範眉開眼笑，掩不住喜悅的告訴他，陸秀夫負帝投海，文天祥仍然感傷不已，張弘範婉言相勸道：『丞相的忠孝已經盡了，事到如今，你何不改任大元的宰相？』

文天祥紅腫的眼睛又流下了眼淚：『國亡不能救，爲人臣者，死有餘罪，豈可有二心、事二主呢？』

經過這段時日，張弘範深深了解，文天祥外柔內剛，根本是說不動的人，他對宋朝是死心塌地，盡忠到底，元朝想要文天祥當宰相，那眞是緣木求魚。因此，張弘範決定把棘手的事往上推，聽候元世祖親自發落，懶得再傷這個腦筋。

不過，由厓山到燕京路程不算短。上一回就是在北上途中，文天祥開

溜，這一次，元朝可不想再舊戲重演了。一路之上，防守極其嚴密，文天祥根本是插翅難飛。

到了江西，這是文天祥的故鄉，他打算死在這兒，所以開始絕食，不吃不喝，決心在祖宗廬墓之地長眠。如此一連八天八夜，奇怪的是，又與上一回吞毒藥一般，文弱的文天祥由於精神力量特強，竟然又不死。

八天之後，元兵開始擔心，萬一文天祥絕食成功，眞的魂歸西天，到了燕京，只剩下一具屍體，那該如何向元世祖交代？商量的結果，衆人七手八脚，硬把文天祥的嘴巴掰開，端來一碗熱粥灌下去，灑得滿頭滿臉，鼻孔眼睛全是粥湯，受罪還是小事，文天祥明白，在故鄉是死不掉的，只好乖乖進食，以後再找機會。

最後到達了燕京，元軍把文天祥安置在一間華麗的會館裡，當然，還是看得緊緊的，一步也不放鬆。沒多久，就有留夢炎前來請安了。這留夢炎原是宋朝的左丞相，與陳宜中不合，不留一言便投効元朝了。

留夢炎久聞文天祥的剛烈，他可不想自討沒趣，但是上頭有令，不敢相違。當他一踏入文天祥的房間，一接觸文天祥的凌厲目光，立刻垂下了頭。正準備開口，就被文天祥罵個狗血淋頭：『你的書到底都讀到哪裡去了？』

留夢炎不敢說：『書本上是一回事，現實生活又是另外一回事啊！』

反正，留夢炎灰頭土臉的退了出來，很難爲情的報告元世祖，他沒有辦法。

元人見留夢炎沒轍，突生奇想，既然文天祥是個死心眼，不如利用宋朝小皇帝趙㬎以舊日國君的身分，勸說文天祥投降。

主意已定，元人差了趙㬎前來，趙㬎不過是九歲的小毛頭，能懂什麼，而且在人屋簷下，能不低頭嗎？當趙㬎跑來找文天祥時，一派天眞爛漫，文天祥只覺鼻酸，撲通一聲跪在地上，不斷的說：『聖駕請回，聖駕請回。』

趙㬎看著趴在地上的文天祥，不曉得如何是好，呆了半晌，話也說不出來，匆匆退出。

元世祖見兩次派人說項，都碰了一鼻子的灰，十分不悅，軟的既然不行，還是來硬的吧。

元朝宰相孛羅決定親自出馬，他先下令把文天祥關入大牢，讓他嘗一嘗披枷戴鎖的獄中生活，磨一磨銳氣，吃一吃苦頭，把細皮嫩肉的文天祥，折磨得不成人形。然後再把文天祥押上樞密院，開堂審問。

經過了一個月的非人生活，文天祥仍是傲氣不改，他從從容容走上樞密院的台階，瀟瀟灑灑長揖爲禮。

兩旁差役高喊：『跪下！』

文天祥答以：『南之揖，即北之跪，我是南方人，行南方禮，不跪。』

孛羅大怒：『不由你不跪。』於是，兩旁差役抓手的抓手，按脚的按脚，下手極重，硬是把文天祥屈成一個下跪的模樣。

孛羅透過通事（即翻譯）對文天祥道：『你有什麼話要説？』

文天祥侃侃答道：『天下事有興有廢，自古帝王將相，滅亡誅戮，哪一個朝代沒有呢？天祥今日忠於大宋朝，以至於此，願求早死，以報國家。』

孛羅半開玩笑道：『自盤古開天，到現在，共有幾帝幾王，我不清楚，你倒不妨爲我一一說來。』

『一部十七史，從何說起？我現在又不是參加博學宏詞科的考試，無此閒暇也。』文天祥沒好氣的回答。

孛羅冷笑的諷刺著：『那你倒是說說看，自古以來可有爲人臣者把宗廟城廓土地，全部獻給他人，然後自己逃跑的嗎？』

文天祥曉得孛羅話中有話，立即反駁道：『將宗廟社稷讓與人，是賣國之臣也。我前日被伯顏所執，當死而未死，乃因度宗皇帝二子尚在浙東。』

『那麼，拋棄你的德祐皇帝（即趙㬎）另立二王，這算忠嗎？』孛羅又逼問著。

文天祥不疾不徐答道：『當此之時，社稷爲重，君爲輕，正如同跟隨徽欽二帝北上者，不是忠臣，跟從高宗另建南宋皇朝者才是忠臣。』

閱讀心得

【第592篇】

文天祥從容就義。

在上一篇，我們說到，文天祥被俘，押到燕京，元朝丞相孛羅親自審問，孛羅見文天祥昂然不屈，大生敬佩之心，可也忍不住批評道：『你千辛萬苦擁立二王，到底成功了沒有？既然明明知道徒勞無功，爲什麼要做這種傻事？』

孛羅此語，倒是正說到文天祥的心坎裡，他嘆了一口氣道：『我打個比方你就明白了，譬如父母生了絕症，臥倒在床，明知其病入膏肓，卻也沒有不用藥的道理啊。我盡了最大的心力，對得起自己的良心，救不了國家是天命，我今天到了此一地步，只有一死而已，何必多言？』

一句何必多言，又把孛羅惹火了，他挑釁的說：『你要死，沒那麼容易，我偏不讓你死，把你關起來！』

文天祥淡然的說：『既然我以義死，又哪兒在乎關不關？』

『好！』孛羅轉身對獄吏道：『把他押下去，我不要再聽他說話了。』

孛羅一怒之下，本來想殺掉文天祥算了，可是他知道，元世祖、張弘範大家都不同意。因爲文天祥形象太好，人格完美，如果能夠勸服他降元，對元朝治理南方有絕對的號召力。

孛羅把文天祥關入大牢之後，想盡了種種辦法來折磨他，孛羅每隔十

孔曰成仁
曰取義
義盡所以仁至
讀聖賢書所學
事而今而後庶
幾無愧

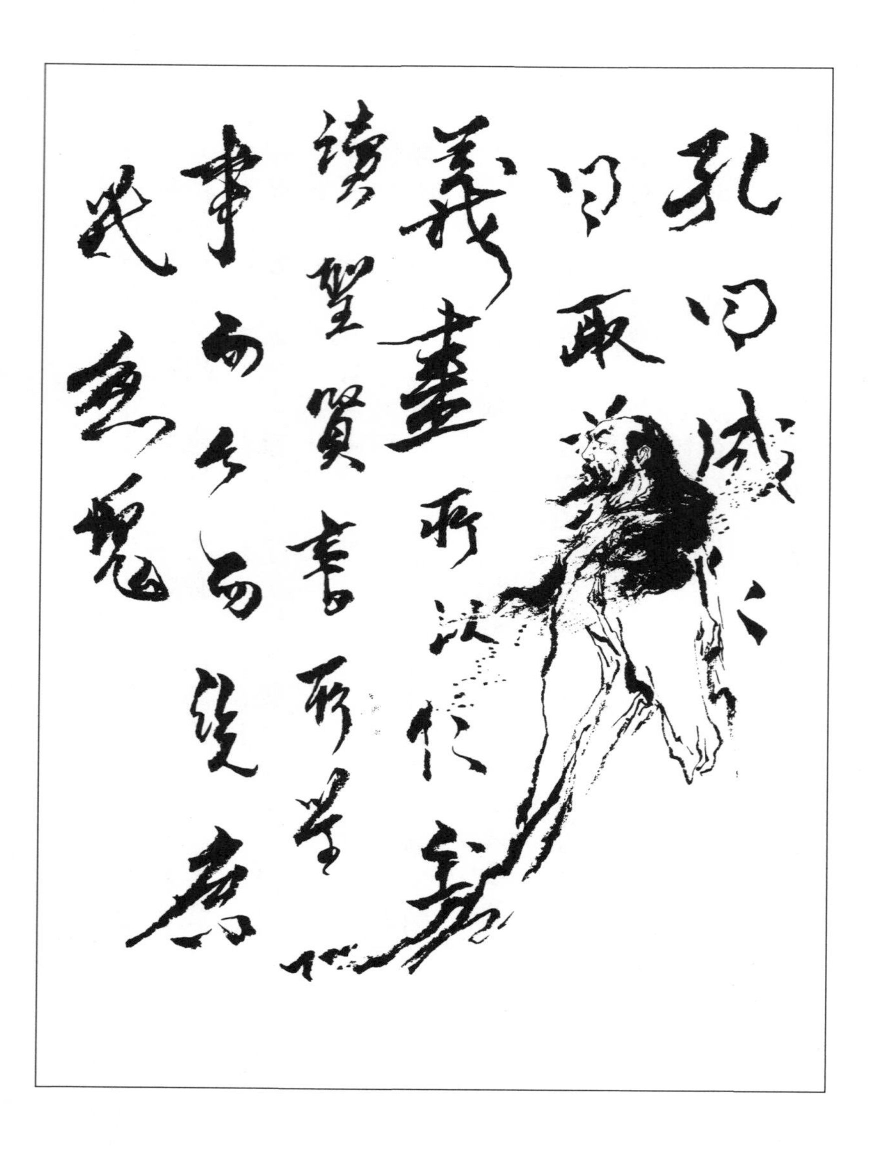

天半個月，總是好奇的差人問獄吏：『文丞相還硬不硬？』答案都是一樣，眞讓孛羅洩氣。

孛羅心想，文天祥雖是富貴不能淫，威武不能屈的硬漢，畢竟是感情豐富的性情中人，否則不會對國家有如此濃烈的感情，也許用親情的力量，可以將百煉金剛化爲繞指柔絲，因此元人命令文天祥的女兒發動親情攻勢。

文天祥的女兒和妻子被元人俘虜以後，一直在燕京道觀裡當女道士，終日誦經。母女當然很想念文天祥，也很希望他能自牢中放出，一家人過著歡樂的日子。

文天祥在土牢裡，見到愛女的信，心都要碎了，他只要一點頭，馬上高官厚祿，重享天倫，但是，他焉能違反原則，貪生怕死呢？

在牢獄的三年裡，爲了消磨時光，爲了給自己打氣，也爲了給後人看看，宋朝雖亡，還有不屈的忠臣。他寫了許多詩文，其中最有名的就是傳誦千百年的《正氣歌》。在《正氣歌》序中，他描述了在燕京獄中的狀況：

『我在北庭（今天北平）的牢裡坐著，這個土牢，寬約八尺，單門低矮，窗子窄小，陰森而幽暗，尤其是夏天裡會發出種種的怪味道：雨水滲入，在床几間浮動，是爲水氣；泥巴漆的土牆，經過大雨之後，因爲蒸發而起的泡泡，是爲土氣；豔陽天，通風口閉塞，是爲日氣；監牢外的簷下以柴炊飯，助長悶熱，是爲火氣；寄囤在倉庫中的米腐爛了，陣陣逼人，是爲米氣；人多擁擠，腥臊汗垢，是爲人氣；再加上爛掉的屍體，腐敗的死鼠混合而成的穢氣。』

文天祥就在這種種臭不可擋，令人作嘔的惡劣環境之中待了三年，以他孱弱的身體，竟然沒有生病，實在是『善養浩然之氣』。文天祥形容『我一種氣，抵抗七種氣，還是天地正氣戰勝了。』

文天祥在獄中，不但肉體飽受摧殘，精神尤其孤單苦悶，這時，他就一一回想當初在史書中認識的古人，默想他們的遭遇，無形之中得到不少力量，在《正氣歌》中，他舉了十二個例子，也是十二個歷史故事，其中不少我們都講過的，有興趣的讀者不妨翻一翻，溫故而知新。

『在齊太史簡』——太史是史官，春秋時，齊崔杼弒殺其君莊公，太史在史冊上記載此事。崔杼把太史殺掉，太史之弟又依樣寫，一連殺了三人，第四人照寫，崔杼只好放棄。

『在晉董狐筆』——春秋時，晉國趙穿弒靈公，趙盾身爲正卿，竟不討賊，董狐在史冊上記載『趙盾弒其君』。

『在秦張良椎』，椎是擊器，秦滅韓，張良爲韓報仇，散家財，交俠士，僱了大力士以一百二十斤鐵槌擊秦始皇，卻誤擊了不是始皇本人乘坐的御車。

『在漢蘇武節』——漢朝蘇武出使匈奴，單于逼蘇武投降，蘇武不肯，被囚在北海放羊，蘇武手中漢節的羽毛都掉光了，蘇武仍然不屈。

『爲嚴將軍頭』——三國時劉備攻益州，嚴顏守巴郡，被張飛所擒，嚴顏道：『益州只有斷頭將軍，沒有投降將軍。』

『爲嵇侍中血』——晉惠帝時兵敗，嵇紹以身護帝，中箭死於惠帝旁，血濺龍袍，亂平之後，惠帝不忍洗去血跡。

『爲張睢陽齒』——唐玄宗時，安禄山作亂，張巡與許遠守睢陽被擒，張巡破口大罵，賊大怒，用刀子挖開嘴巴敲掉張巡的牙齒。

『爲顏常山舌』——安禄山作亂，顏杲卿守常山，被俘以後，杲卿仍然瞪眼大罵不絕，賊人割了他的舌頭，他仍然含糊不清罵個不停。

『或爲遼東帽』——漢朝末年，管寧赴遼東避難，不肯爲魏文帝做官，戴著平民的黑帽，穿著布衣，安貧樂道。

『或爲出師表』——諸葛亮率師伐魏，臨行上出師表，說明『漢賊不兩立，王業不偏安』，語句懇切。

『或為渡江楫』——晉時五胡亂華，祖逖率兵渡江，在江心發誓：『祖逖不能清中原而復濟者，有如大江。』

『或為擊賊笏』——唐德宗時，朱泚謀反，召段秀實前來商議，段秀實氣得用象笏打朱泚的臉，朱泚流血滿面，段秀實遇害。

元世祖至元十九年，文天祥已被整整關了三年，宋朝降臣王積翁上書請求，釋放文天祥出來當道士。被文天祥罵得狗血淋頭的留夢炎首先不同意：『文天祥一出來，一定號召起兵反元。』事實確是如此。

元世祖親自召見文天祥，還是希望他當宰相，文天祥仍然回答：『願賞一死，已足矣。』元世祖為除後患，只好在十二月初九，賜文天祥一死。

當天，元兵弓上弦，刀出鞘，如臨大敵，百姓爭相走告，文天祥從容對吏卒道：『我的事做完了。』文天祥死後，人們在他的衣帶中搜出了一篇贊：『孔曰成仁，孟云取義，惟其義盡，所以仁至，讀聖賢書，所學何事，而今而後，庶幾無愧。』好一個『讀聖賢書，所學何事』。文天祥的故事告訴我們，讀聖賢書爲的是什麼。

閱讀心得

【第593篇】

畢昇發明膠泥活字版。

宋朝雖然國勢不振，但是文風鼎盛，不論文學、藝術、科技都粲然可觀，值得中國人自豪，我們先從圖書談起。

在人類圖書發展史上，有三個基本要件：紙、雕版、活字印刷，都是中國人最先發明使用，使得世界文化因而加速發展。

太古時代，人們用結繩方法紀事，以繩子大小、鬆緊程度、不同的顏色、不同的綁法代表不同的意思，用以提醒記憶。等到繩子的結多了，只曉得應該記得某件事，卻怎麼也想不起來到底是什麼事，眞是傷腦筋。於是著手改良，產生文字畫，以後再逐步改良，演變而爲象形文字，又進而成爲今天我們所使用的文字。

文字寫在哪兒？用什麼書寫？石塊、樹葉、金屬、獸皮、甲殼都先後被使用過。不過，甲骨不容易取得，青銅價格高昂，石頭又過於笨重，取而代之的是竹木與縑帛，這也是我國最早的圖書製作材料。

竹簡製作的方式是這樣的：先把竹子砍下來，截成圓筒，然後劈開成爲一條一條的竹片，新鮮的竹子容易發霉，而且寫不上字。因此，還得削皮再烤乾，這套手續叫殺青（所以現在著作完成，或是電影拍完稱之爲殺青）或者稱之爲汗青（文天祥有『留取丹心照汗青』的名句）。

竹簡是細狹的長條，書寫時，左手按著竹簡，右手執筆，一根寫完，再取一根，這也是中國文字由上而下，由右而左習慣之由來。一根竹簡容納字數有限，因此，一部書要用許多簡，把許多簡用帶子連在一起，就成爲冊（策）。通常，如此編成的一策書必然是一篇完整的文字，所以又稱爲篇，例如孟子七篇。

竹木簡盛行之時，也有書寫在絲織品上面的，稱之爲『帛書』、『縑書』。帛書，通常是一束一束捲起來的，所以我們常用『卷』做爲書中的單元。自從紙發明以後，書寫材料又跨前一大步，這要感謝東漢蔡倫用樹枝、麻繩和破魚網造紙。紙張發明以後，抄本書籍大量出現。但是一個字一個字慢慢寫，一部卷帙浩繁的書，往往要寫上好幾年，實在過於費時費力，於是才研究發明雕版印刷。

中國古人喜歡使用印章，印章上的文字，一定是反文，印出來才是正文，由印章的原理，發展出雕版印刷，在唐朝末年，逐漸在民間廣泛的流行，五代十國時期，政府更用它來刻印儒家經典，或是佛經。

雕版印刷對文化的傳播，產生極大的功能。但是，也有明顯的缺點：刻版要耗費大量人力時間，大批書版存放不便，例如在宋太祖開寶年間刻『大藏經』，一共雕版十三萬塊，單單堆放就要用上好多房間，相當不方便。

雕版印刷還有一個大毛病，在雕刻之時，一不小心雕錯一個字，譬如『己』刻成『已』，必須全部廢掉，前功盡棄，重新再來，相當費事。

畢昇是一個從事雕版印刷的工人，他雖然是位工匠，由於職業關係，認識不少字，程度也相當不錯，對於同時代司馬光、歐陽修、蘇東坡的詩詞十分的欣賞，很希望能夠大量印刷，廣爲流傳。

因此，畢昇決心改良雕版印刷，他的構想是，把整塊的版，拆成一個一個單字個體，然後，依照原稿的需要，檢出所需要用的字模，排組成版面，再把油墨刷在印版上，在印版上施加壓力，版面上的文字便可清晰的印刻在紙張上面。如此一來，在印刷完成以後，版可拆散，下回再用，如此反覆拼檢，應用自如，豈不是又方便又經濟？

畢昇的構想是不錯，現代書刊活版印刷用的也是畢昇的原理，可是，由構想到完成，卻不是一件簡單的事。

畢昇先找來許多棗木，把棗木割成與字體相當的小方塊。僅此一件，就讓畢昇費了不少工夫。中國古人稱書籍爲『梨棗』，因爲木刻材料以梨木、棗木爲上等，其他木料不夠堅硬，容易脆裂破損。棗梨大都產於山東一帶，古代交通不便，所以畢昇爲找棗木，他花了一番工夫。

畢昇白天有工作，多半利用晚上，一個人在靜靜的夜裡，就著小小油光，一個字一個字努力的刻鑄著，好容易按照文章的次序，拼成了一個整版，他興奮的刷上墨，誰知一印之下，由於字體高高低低，每一版都有許多字印不出來，望著七零八落不成樣的版樣，畢昇心裡眞有說不出的懊惱。

由於每一小塊的棗木，厚度不同，軟硬有別，畢昇又是用手工雕製，當然高矮大小難得一致。

這次的試驗雖然失敗了，畢昇並不灰心，他認爲理論上應該是可行的，只是材料有問題，既然棗木不適用，那麼，應該換什麼？

畢昇先考慮用金屬，金屬是夠堅固了。可是金屬硬度太高，雕刻吃力又費時，何況金屬價格高昂，不是他一個窮工匠負擔得起的。

爲了這件事，畢昇早也想，晚也想，腦袋都快要想破了。有一天，畢昇忽然靈光乍現，想到上一回生病服藥時，到藥房去抓藥，其中有一塊龜膠之類的藥物，堅硬如鐵，晶瑩剔亮，遇火即熔、冷卻後又堅硬不化，膠類是用動物的皮角煉製而成，成本低，來源不虞匱乏。

因此，畢昇就利用膠泥爲材料，每字一模，使用時將膠模佈於鐵板之上，常見字如『之』、『也』多刻一些，不用時把字模貯在木格之中，靈活而方便，於是畢昇發明了活版印刷術。

閱讀心得

【第594篇】

沈括十項全能。

在上一篇中，我們談到畢昇發明膠泥活字版的故事，主要是根據宋人沈括著《夢溪筆談》一書的記載。沈括是中國歷史上了不起的人物，博學多才，成就非凡，在天文、地理、數學、物理、化學、生物、醫學、水利、軍事、文學、音樂等領域都有獨到的見解，連『石油』這個名稱也是沈括首先使用的。

沈括，字存中，浙江錢塘人，生於北宋仁宗明道元年，嘉祐八年中了進士，被派爲館閣校勘，在京師昭文館編校書籍。他是一個相當好奇，富有研究精神的人，昭文館中有許多中外界看不見的珍藏祕本，他專心鑽研，奠定了博學的基礎。

沈括第一次表現科學才能，是在擔任沐陽主簿之時，他帶領了幾萬民工，修築渠堰，不但解除了當地的水患，並且開墾良田七千頃，改變了沐陽的面貌。

熙寧五年，沈括又主持了汴河的水利建設，他親自測量汴河下游，從開封到泗州八百四十多里河段的地勢。並且用『分層築堰法』測得開封與泗州之間，地勢相差十九丈四尺八寸六分。

所謂分層築堰法，是把汴渠分成許多段，分層築成台階形狀的堤堰，

引水灌注入內，然後一級一級測量各段水面，加起來的總和就是開封與泗州間『地勢高下之實』，這種測量方法，在世界水利史上，可說是一大創舉。計算單位細到寸分，也可以說明沈括精確的治學功夫。

沈括由於精通農田水利，不久，又被派爲河北西路察訪使，這一帶是宋朝的邊防要塞重地，沈括實地勘測當地的地質、地形、山川險要，糾正過去地圖上和記載上的錯誤，並且繪製了許多新的地圖，還用木頭，依照地勢高低，製造了一種立體的木圖，儼然又成爲地質專家，地政高手。

熙寧七年到八年之間，宋遼國界發生分水嶺問題，雙方多次談判都沒有具體成果，因爲雙方各說各話，都只有含含糊糊大概的方位，中國人對這方面一向是弄不清楚的，當地的山川風物，用文學作品描寫的不少，然而精密的數字記載，素來是從缺的。

難得有一個沈括，手上有不少地圖檔案，又有豐富的輿地知識，奉派與遼人交涉，娓娓道來，有根有據，遼人還沒有見識過這樣的交涉，一談之下，大爲折服，沈括眞是爲宋朝爭回不少顏面與利益。

沈括是個隨時隨地不忘研究的人，他在往返途中，留心觀察契丹的山川形勢、風土人情，並且做了筆記，回宋朝之後，又寫又畫，完成了一部『使契丹圖』，大受神宗的嘉獎。

沈括愛國心切，一直是主戰派，他對於城防、陣法、兵車、兵器、戰略都有獨到的見解，對弓弩甲冑、刀槍武器也頗有研究，還寫了『修城法式條約』、『邊州陣法』等軍事著作。

他還是一位傑出的天文學家，曾經擔任太史令兼司天監，建議改進渾儀（觀察日月星辰的儀器）、浮漏（計算時刻的銅壺滴漏），以及景表（測量日影、定四時節令的表竿）等三種儀器，他發現了月亮本身不發光，月亮的光是由太陽反射回來，同時又說明了月亮圓缺的道理。

在數學方面，沈括創立了『隙積數』與『會圓術』，沈括由酒罈與疊起來的棋子，發現了高階等差級數的算法，當時稱爲隙積數；會圓術則是利用弦與矢求取弧長，促進了平面幾何學的發展。

沈括對物理學也極感興趣，不論力學、光學、磁學、聲學各個領域都有涉獵，特別是關於磁學研究，在《夢溪筆談》中，他曾經說：『方家以磁石磨針鋒，則能指南，然常微偏東不全南也。』這是世界上關於地磁偏角的最早紀錄，西方人一直到西元一四九二年，哥倫布航行美洲時才發現了地磁偏角，比沈括的發現晚了四百年。

在化學方面，沈括也有研究，他在廷州任官時，曾經考察研究石油的特性，製造煙墨，他發現石油『生於地中無窮』，『此物後必大行於世』，石油這兩個字也是沈括首先使用的。

沈括對醫藥也很精通，在年輕時就研究醫理，治療過不少病危患者，而且他對藥用植物學下過功夫，著有『良方』等三種醫學著作。

像沈括這種具有創新研究精神的科學家，當然對暮氣沉沉一切只想蕭規曹隨的宋朝政治有所不滿，因此，當王安石變法時，他很自然加入變法運動，也受到王安石的器重與信任，王安石變法失敗，他受到牽累，卻並不後悔。在他的《夢溪筆談》之中，除了科學、技藝，也談了不少掌故軼事。吳姐姐講歷史故事之中，許多宋人的小故事，都是出自《夢溪筆談》，我們可以再舉一個拗相公王安石的小故事：

王安石一向有氣喘的毛病，有人勸他服用紫團山人參，這種人參不但名貴，而且難求，薛師政剛好有幾兩紫團山人參，興沖沖送了去，王安石不肯收。旁邊人勸道：『你的病，非此藥不能痊癒。』王安石瞪眼道：『我平生無紫團參也活到了今天。』橫豎是不肯要。

王安石臉黑黑的暗暗的，門人擔心他是不是生了惡疾，去問醫生。醫生說：『這哪裡是病，是汙垢，太髒了。』

門人趕緊拿了澡豆（類似肥皂）請王安石洗洗臉，王安石又不肯，他說：『比我臉還黑的人，澡豆有用嗎？』

沈括十八般武藝樣樣通，卻不幸晚年娶了一個兇老婆張氏，經常被張氏打罵，張氏一發火就扯沈括的鬍子，沈括的兒女在地上撿起鬍鬚，發現上面又是血又是肉，可怕極了，很難想像宋朝有如此兇悍的女人。

沈括是中國具有多方面成就與貢獻的傑出科學家，可惜當時人不重視他的成就，否則我國科學在九百多年前就可攀上高峰。

閱讀心得

【第595篇】製墨專家潘谷。

我國的書畫藝術，到了宋朝，發展到達最高峰，宋朝不但學校中有書學與畫學，國家設有書畫學博士，科舉考試重視書法，宋朝的歷代帝王，又多半知書善畫，頗有一手功夫。因此文房四寶——筆墨紙硯也就格外的考究。

現在我們一般人寫字，多半使用鋼筆、鉛筆、原子筆等硬筆，簡易方便，又適合隨身攜帶。但是眞正要把中國方塊字寫得好看，非用柔軟的毛筆不成。毛筆能夠藉由腕力的輕重，直指橫掃，有粗有細，剛柔之間變化萬千，這是任何金屬筆尖都不能辦到的。深受中華文化影響的日本、韓國都非常重視書法藝術，倒是我們自己忽略了國粹，眞是十分可惜。

我國毛筆的製造，自古以安徽宣城最爲著名，白居易曾經有一首詩記載：『江南石上有老兔，吃竹飲泉生紫毫，每年宣城進筆時，紫毫之價如金貴。』所謂紫毫指的是兔毛，狼毫則是鼬毛，羊毫是山羊毛，七紫三羊就是七分兔毛三分羊毛，軟硬堅挺適中。

唐代著名的製筆工匠有陳氏與諸葛氏，到了宋朝，更加發達，北宋年間，諸葛氏的筆，被文人視爲一等至寶，比現在人們用派克筆、西華筆稀奇不知多少倍，蘇東坡入京趕考之前，友人贈以兩支諸葛筆，他簡直欣喜

墨

若狂，寫起文章來，益發文思泉湧。

蘇東坡最喜歡宣城的諸葛筆、李廷珪的徽州墨、澄心堂的紙，還有上好的美酒，要是這幾樣東西，同時擺在他面前，如同小提琴手面對一具史特拉迪瓦名琴，簡直無法抗拒。他必然喝下名酒，在技癢之下，作出最美的字畫，最好的文章。因此，邀蘇東坡寫作的人，常用此『誘惑』他。

李廷珪的墨都是採用徽州黃山的老松，富於油脂，取以燒煙，為製墨的上好原料，另外還摻以珠粉、玉屑、龍腦等珍貴材料，甚且加了金屑，這種墨的價值已高於黃金。

北宋時代潘谷也是製墨高手，他製出來的墨清香徹骨，一直用到薄薄一小片，仍然芳氣不減。潘谷不但擅長製墨，而且擅長查緝仿冒品，由於李廷珪的墨太受歡迎，坊間贗品不少，但是，無論如何作假，總逃不出潘谷的法眼。古書之中記載，潘谷厲害極了，他有『隔囊揣墨』的本領，他可以不用眼睛，只要用手摸一摸，馬上能夠辨別眞僞，這眞是奇才了。

蘇東坡流放到海南島時，苦於無好墨可用，連文思都窒塞了，他決心自己來製墨。

蘇東坡頗有頑童心理，他一想製墨很好玩，馬上捲起袖子動手，把自己關在一間小房間中做實驗，燒松脂油。他完全沒有化學基本常識，半夜裡房間著火，差一點把整個家都燒光了。

第二天一早，他在小房間找到幾兩油墨，卻沒有膠，設法找來少許牛皮膠，勉強混合一下，結果製出來的墨，一根一根軟軟的，像手指頭一般，站都站不直，蘇東坡哈哈大笑，結束了這場實驗。由此可見，製墨也不是等閒的學問。

考究的墨，墨上繪圖題識，精緻雅麗，不但各色各樣，又塗上不同的色彩，除了實用，兼具觀賞之效。事實上，這麼名貴的墨，往往是聲音清脆如金石，古人視之爲傳家之寶，平常捨不得用的。

至於說到紙，仍以安徽宣城的紙最著名，因此我們現在把書畫用的紙，一律稱之爲宣紙，宣紙紙質綿密、均勻、柔軟、潔白，易於吸墨，而且經久不變色。我們看看故宮名畫，歷經千百年，依然顏色鮮豔，而今天看到的一般報紙，擺個幾天，紙質變黃，色彩走樣，由此可知，老祖宗的一套還是相當管用的。

最後說到硯臺，文房四寶中，筆墨紙都是消耗品，惟有硯臺，可以長期保存，因此，古人經常在硯台上題刻詩文，做爲賞玩的珍品。

良好的硯台，必須易於發墨，很快能夠磨出墨汁，卻又不壞筆，因此，它理想的條件是硬度適中，糙滑合度，廣東端溪的端硯，安徽婺源的歙硯，都是鼎鼎有名的，讀書人都朝思暮想，希望能得到一塊好硯。可是宋朝的包拯包青天，在端州任官時，只准當地製造需要上貢皇帝數額的硯臺，他不肯用硯台交結權貴，自己也不帶一個硯台回家，實在是清廉。

宋徽宗是一個三流皇帝，處理政事一塌糊塗，在書畫方面卻極有造詣，也懂得欣賞藝術品，對藝術家也很好，他曾經在宮中邀請米芾作畫，米芾把袍袖往背後一繫，跳躍便捷，落筆如雲，龍蛇飛動，立刻畫了一張好圖，然後央求宋徽宗將硯台賜給他，徽宗見米芾有趣，當場答應，米芾樂得捧著硯台飛奔而出，墨汁灑滿了衣袖也不在意，畢竟是好硯難求啊。米芾愛硯，還有許多妙人妙事。

當然，硯台名貴也是要賣給識貨者，沈括的《夢溪筆談》就記載了一個不識貨的蠢人：有個名叫孫之翰者，某日見人兜售一硯，索價三十千。孫之翰不解道：『這個硯台有什麼不同，爲何如此昂貴？』對方答以『這塊石頭相當奇特，不用裝水，你一呵氣自有水流。』孫之翰忙道：『那不必了，一天呵得一擔水，也不過三錢，買此何用？』

沈括笑孫之翰不識貨，特記上一筆。總之，筆墨紙硯都是中國文化的瑰寶，其中也藏有許多有趣的故事。

閱讀心得

【第596篇】

驗屍專家宋慈。

我們經常可以在新聞之中看到，每次社會上出了命案，警方總是下令保持現場完整，靜待法醫前來驗屍。法醫這一門行業，令人感到神秘、恐怖、好奇，又充滿敬意。

然而，恐怕很少人知道，世界上最早的一本法醫書籍《洗冤錄》，出自我國宋朝大儒宋慈之手。而且英國、德國、俄國、日本都有譯本，且被譽之為經典之作。

宋慈，字惠父，福建建陽人，生於宋淳熙十三年，他在少年時代就喜歡用頭腦想問題，是個愛好思想的年輕人。

宋慈進入太學之後，深受眞德秀老師的賞識。眞德秀是宋朝著名的理學大師，學識淵博，德高望重，爲人有原則，富於正義感，而且非常愛護學生。

宋慈在眞德秀殷殷教誨之下，養成了朱熹學派『窮理以致其知，反躬以踐其實』的篤實精確治學精神，他三十一歲中了進士，但是直到四十一歲才踏上仕途，擔任南劍州的通判。

當他到達南劍州，正巧遇上荒年，糧價暴漲，飢民遍地，宋慈建議朝廷，徵用富戶的餘糧，用來賙濟貧民。這件事雖然拯救了苦哈哈的窮人，

卻惹怒了富豪之家，於是，大戶聯合出手，捏造事實，硬是把宋慈趕出南劍州，降爲提點廣東刑獄，即省的一級刑法官。

宋慈被迫調爲刑獄，他卻不以爲忤，事實上，可說是他一生事業的轉捩點，因爲宋慈嫉惡如仇，守正不阿的性情，正適合擔任司法人員。

他上任以後，排除關說，認眞辦案，一年之內，處理了一百多件懸而未決的案件。懲治了許多貪贓枉法的官員，人心爲之大快。

宋慈很不滿意當地官員以刑求辦案，不論有理無理，先掌嘴再說。掌嘴就是打巴掌，差役這一來一往，猛摑犯人嘴巴，一陣噼噼啪啪二十多個巴掌打下來，犯人雙頰紅腫，滿嘴都是鮮血，熬不住痛苦的犯人，即使沒有犯罪，在這種情形之下，經常就招了。

若是有那皮厚嘴硬的犯人，刑獄也有辦法對付，宋慈親眼目睹，覺得十分的殘忍，而且施刑的對象是婦女。

拶指是犯婦的大刑（拶，攢也，意思是夾），拶指是將五根約七寸長的小圓木棍，拿麻繩穿起來，用刑時，差役夾住犯人的五根手指，使勁的一收，十指連心，痛徹心肺，只見犯婦額上汗如豆大，淒厲的大喊：『我招，我招！』差役這才鬆手，可是，婦人若招得不夠完全，刑獄大喝一聲：『給我收！』

這一收，犯婦身子亂縮亂抖，痛得她整個臉扭曲變形，連個『招』字都講不清楚，只能自牙縫中抖出一連串的呻吟。

宋慈看到這裡，再也看不下去，他長嘆道：『無怪古人說三木之下，何求不得？』三木指的是套在人犯頸子、手上、脚上的刑具，意思是說，只要善用刑具，何必擔心犯人不招供。

他雖然是慈悲心腸，卻也不放縱壞人作惡，力求做到『毋枉毋縱』。凡有命案發生，必然親臨現場，監視仵作驗屍（仵作是古代檢驗屍體的官吏）。

曾經有一回，發生一則自殺命案，原本已可結案，被宋慈看出其中蹊蹺：既是自殺，爲何傷口是進刀輕而出刀重，那有人挨了一刀反而力氣變大的？於是下令徹查，結果發現原來是土豪殺了莊稼人，買通仵作，把謀殺誣爲自殺。

經過了這次事件，宋慈深深體會到科學辨案的重要，激起了他研究醫學的興趣。按驗屍，原本是世上最無趣，最恐怖，最噁心之事，鼻子聞到的，眼睛看到的，手上碰到的，無不令人作嘔三日，而且陰陰森森，鬼影幢幢，讓人害怕。

然而，宋慈語重心長的說：『刑獄如果不察，仵作會欺騙你，吏役會蒙蔽你，況且許多刑獄對現場屍體證物，看都不敢看一眼，避之惟恐不及，這樣如何能夠辦案？』

爲了推廣法醫教育，他耗費了無數心力，寫下了世界第一部有系統的法醫學專書《洗冤錄》。提供司法人員，做爲辦案的參考，也成爲宋朝以後驗屍必備的專書，甚且衙門裡考選仵作，也是自《洗冤錄》中隨意指定一節做爲題目。

譬如清朝末年，出了一件轟動一時的大案子，新科舉人楊乃武，勾結一位外號叫小白菜的女子並謀殺其親夫葛小大。仵作驗屍，發現葛小大上身長有青黑黴斑，肚皮上有皰疹，口鼻流血，用銀針探指甲，一片青黑，再翻開《洗冤錄》，上面寫著：『中砒霜之毒者，遍身發小皰，體青黑色，眼睛聳出，指甲青黑。』仵作斷定為中砒毒而死。

楊乃武與小白菜在一連串的刑求之下屈打成招，即將問斬。可是楊家人不甘心，多方奔走，到處請託，最後鬧到慈禧太后那兒，開棺重審：在擁擠人潮之中，有經驗的老仵作拈起一塊顱門骨，仔細一看，便斷言：『葛小大是病死的。』全場譁然，仵作不慌不忙解釋道：『骨頭表面發黑，是潮氣太重，長了黴斑，如果中毒而死，骨頭內外都是黑色，可是這塊骨頭——』說到這兒，他拿起剉刀，輕輕一剉，骨頭裡面一片瑩白。

楊乃武小白菜沉冤得雪。

接著老仵作說：『當初驗屍錯誤，是忘了在驗屍之前，銀針先要用皂角水洗乾淨，洗冤錄上寫得清清楚楚。』

宋慈的《洗冤錄》在宋朝之後，不曉得爲多少冤屈平反，一直到今天，《洗冤錄》在國內，在其他國家都被廣泛採用。

閱讀心得

【第597篇】

弄璋弄瓦。

中國古代婦女，一向講究三從四德，不過，嚴苛的貞節觀念，卻是自宋朝開始。

歷史學家曾經在南太平洋未開化的土著社會做研究，發現土著以母系爲中心的組織，中國古代是不是出現過母系社會，在現存的文字記載之中，找不到證據。

中國『姓』的起源，好像是以女子爲中心，例如『姚』『姬』『姜』，字旁都從女，有人以爲這代表以母姓爲中心的團體。

不過，男尊女卑的觀念，遠在中國早期歷史之中便存在了，詩經小雅斯干篇中有一句話『乃生男子，載寢之床，載衣之裳，載弄之璋，其泣喤喤，朱芾斯皇，室家君王。』

這句話的意思很有趣：如果生了一個男孩子，就把他小心的放在床上，給他穿上衣裳，再佩一塊圭璋給他玩（隱含娃娃長大之後，成爲王侯將相，手執圭璧，可見中國人多麼嚮往做官），他的哭聲洪亮，將來一定穿著輝煌耀眼的朝服，他會有室有家，可以做爲君長，一家之主。

如果生了一個女孩子，又是如何呢？那可慘了：『乃生女子，載寢之地，載衣之裼，載弄之瓦，無非無儀，惟酒食是議，無父母貽罹權。』

這句話的意思是：假若生了一個女孩子，就讓她睡在地上，拿塊布把她包起來，隨便扔一塊瓦給她玩耍（瓦是一種紡織用的紡磚），女子最好多多服從，少自作主張，只要講究製酒烹調之事，小心別讓父母惹上麻煩就可以了。

一直到今天，人們還是用『弄璋弄瓦』代表生男生女。弄璋固然是好話，弄瓦就有輕視厭惡的含意了。

中國古代是農業社會，需要大量人力，女子力氣不夠，受到輕視，也是自然之事。因此，在遠古時代，便有溺死女嬰的習俗。古代窮人家多半不願意養女兒賠錢貨。甚且有謂『盜不過五女之門』，那個人家養了五個女兒，八成是一貧如洗，連強盜也不願進去光顧。

古代女子也沒有名字，如趙姬，鄭姬等，到了漢朝，才有私名，如班昭、蔡琰等，漢朝是中國禮教形成的重要時代，西漢有劉向作《列女傳》，東漢有班昭作《女誡》，規範婦女的道德。

班昭是班彪的女兒，班固的妹妹，家學淵源，她在丈夫曹世叔死後，被漢和帝召入宮內，做爲皇后貴人的老師，人稱爲曹大家，是一個極有才學的不凡女子，曾經幫助其兄班固完成漢書，她寫的《女誡》，主旨在說明女子應該三從四德（三從是在家要順從父親，出嫁要順從丈夫，夫死要順從兒子；四德是婦德、婦言、婦容、婦功）。

班昭認爲女子在十五歲以前，應該讀一點兒書，不過讀書的目的是爲了侍奉丈夫，班昭的看法是男子應當再娶，女子卻不能再嫁，當時朝廷也獎勵貞節，可是，一般民間對於貞節，並不十分看重，婦人再嫁，也沒有什麼人會出面阻止。

譬如西漢時，朱買臣妻子離婚再嫁，是人們所熟悉的例子。朱妻是個勢利的女子，朱買臣屢次投考不中，她鬧著離婚。後來，朱買臣官運亨通，回故鄉會稽當太守，朱妻已經再嫁，厚著臉皮請朱買臣再收留，朱買臣潑了一盆水在地上，表示覆水難收，對不起。

東漢時，改嫁再嫁的例子更多，如蔡邕的女兒蔡文姬，先嫁衛仲道，衛仲道死後，她回到娘家，興平之亂，被匈奴俘虜而去，與左賢王生了兩個兒子。後來，曹操重金贖回，做主把文姬嫁給董祀，夫妻十分恩愛，當時社會上似乎不以蔡文姬三嫁爲恥，她所寫的『胡笳十八拍』更是中國文學史上著名的敘事詩。

魏晉南北朝時代，戰亂紛起，這個時期，有兩個特色，一是妓妾聲妓流行，一是婦女妒忌風氣似乎特別發達。南北朝時人們競相奢侈，鬥富風氣興盛，美女也成爲大衆誇示富豪的工具。

例如石崇以富有著名，也以擁有數十名如花似玉的愛妾著名。他用一種奇特的方式，測驗愛妾的體重是否過重。

石崇把名貴的沉香末撒在床舖上，命令愛妾們在床上踏來踏去，然後檢查脚板心，若是一點兒沉香末都沒有沾上，表示身輕如燕，賜一百顆珍珠，好大的手筆。若是沾了許多沉香末，顯然是過重，石崇就命令她節食，如此看來，減肥可不是現代才有的時髦玩意。

或許南北朝聲妓多，女子之間妒心特強。東晉時，謝安頗爲風流，無論走到那兒，身旁總有妓女相隨，他的妻子劉夫人受不了，對謝安監視得很緊，謝安的外甥想要幫舅舅的忙，對舅舅媽劉夫人說：『關雎螽斯篇中記載，婦人該有不妒之美德。』

劉夫人知道外甥在諷刺她，淡淡一笑道：『這是什麼人作的詩啊？』

外甥答以：『周公。』

『周公是男子，當然這麼寫，若是周姥，就不會寫此詩了。』

南北朝雖然是亂世，世家大族間貞節觀念卻逐漸強烈，例如羊烈家是望族，他們不但規定家族中婦女一律不准再嫁，甚且在黨州建造一所女尼寺，凡是寡居又沒有小孩者，統統都叫她出家爲尼，想思凡都不成，羊氏之譽就此奠定。

閱讀心得

【第598篇】

餓死事小失節事大。

從漢朝班昭寫《女誡》以後，唐朝出了一本宣揚女教的書——《女論語》，作者是宋廷棻的女兒宋若昭。

宋廷棻一共有五個女兒：若華、若昭、若倫、若憲、若荀，個個都是聰慧可人，玉潔冰清。

唐德宗很喜歡這五位大家閨秀，在與臣子們討論經史文章之時，常會邀請她們參加，後來，四個女兒都嫁給了唐德宗，只有若昭不想嫁人。德宗尊她為女學士，教導皇子公主讀書，號為宮師，《女論語》一書多半出自若昭之手，她也參考了其他姐妹們的意見。

《女論語》中為婦女訂下很多規矩，比起班昭的《女誡》更加詳盡繁瑣，例如『立身』章中說：『凡為女子，先學立身。立身之法，走路不要回頭，講話不要掀唇，坐下來不要搖晃膝蓋，站起來不要搖動裙子，高興的時候不要大笑，生氣的時候，不要提高聲音。男子女子要嚴加分開，不可偷窺外壁，不許走出外庭，凡是外出，一定要掩面遮臉，別讓人看到了。』

總而言之，《女論語》中強調的是羞羞怯怯，藏藏掩掩，宋若昭以為如此才是女子立身之道。

《女論語》中規矩雖然不少，但是唐朝一般風氣比較開放，公主再嫁

者高達二十三人，唐朝公主的氣焰高張和婦德不修，多半讓人退避三舍，不敢領教（請參考本書講到唐朝部份）。文起八代之衰的韓愈，他女兒先嫁李氏，再嫁樊氏，可見唐代讀書人也沒有特意強調貞節。

唐朝有一個妒忌的故事，十分有趣，值得一提：唐朝大臣任瓌，素來以怕老婆而著名，唐太宗一向與臣子私人感情深厚，他有意為任瓌解除這個煩惱。於是，有一天，唐太宗把任瓌的妻子找來，對她說：『婦人妒忌，合當七出（七種可以和妻子離婚的理由），你如果能改過，也就算了，否則，你得喝下這個毒酒。』

豈料任瓌的老婆，大剌剌的回答：『妾不能改妒，請飲酒。』話沒說完，拿起酒就咕嘟咕嘟全喝光了。回到家裡，她與家人訣別一番，準備等死。誰曉得，等了半天，好端端的，根本沒事。原來，唐太宗請她喝的是醋，不是毒酒。據說，這就是『吃醋』代表妒忌的由來。

任瓌妻子不死，他又沒好日子過了。杜正倫嘲笑任瓌，任瓌故意做出一副怕怕的可憐相道：『婦人的確可怕，初娶進門，端坐如菩薩，豈有人不怕菩薩？等到生兒育女，像隻大蟲（老虎），豈有人不怕大蟲？婦女老了面皺如鬼，哪有人不怕鬼？』

任瓌的難聽之言，也許可以代表唐朝的婦女還是挺有權威的。爲什麼到了宋朝，女權特別低落？其實，宋朝初年，貞節的觀念並不十分牢固。

宋初大儒范仲淹，他母親改嫁朱家，他曾經改名朱說。他兒子范純祐早死，他就把兒媳婦嫁給了門生王陶，甚且，他訂下的義莊田約，也有給寡婦再嫁的用費，絲毫沒有要寡婦守節的觀念。

王安石的觀念，與范仲淹差不多，他的二兒子王雱，在太常寺當太祝，患有先天性心臟病。王雱娶了同郡女龐氏爲妻，過了一年，生了一個兒子，王雱左看右看，覺得這個兒子不像自己，千方百計要把小孩害死，最後小孩果然給嚇死了，王雱還是與龐氏吵鬧不休，王安石眼看這樣下去不是個辦法，做主把兒媳婦嫁給別人。

自理學興起之後，道學先生開始大力提倡貞節觀念。有人問伊川先生：

『按照道理，男子不應娶孀婦，你的看法如何？』

『當然，寡婦再嫁便是失節，若是娶一個失節者爲妻，本身也失節了。』

『那麼，孀婦若是貧窮無依，能否再嫁？』

伊川先生篤定道：『餓死是一件極小的事，失節是一件極大的事。』這便是『餓死事小，失節事大』一語的由來。

伊川先生不但反對寡婦再嫁，並且還主張男子可以出妻（把妻子趕出家門）。

有人問他：『可以出妻嗎？』

他答以：『妻若是不賢，爲何不能逐出家門？今人以爲出妻是醜行，不知孔子門人子思也曾出妻也。』

理學先生把妻子對丈夫，看成臣子對國君，宋儒既對皇上忠心耿耿，自然妻妾也該對夫君百依百順。

宋代女權一落千丈還有一個原因，便是纏足普遍，纏足到底起於何時，說法不一，不過一般認爲是南唐李後主時，後宮窅娘用布纏足，彎曲成新月狀，在金蓮上婆娑起舞，步步生蓮花，有如凌波仙子也。

宋朝國勢不振，重文輕武，連男子都是文縐縐的如婦人狀，他們所欣賞的女子當然是弱不勝衣，嬌嬌滴滴，纖纖作細步的，女子既然行走不便，益發缺少獨立的能力。

在宋儒鼓吹，尤其是朱熹提倡之下，宋代婦女對貞節觀念十分執著，史書上記載了許許多多女子爲保全貞節，不惜一死的血跡斑斑的故事。

宋代婦女貞節觀念，對後世影響甚大，不但要拚死守節操，連皮膚手臂，也絕不能與男子接觸，例如，元朝大德十年，馬氏乳生潰爛，情況危急，馬氏堅持：『我是楊家寡婦，此疾不能見男子。』竟然不肯治病而死。

婦女守節，當然是中華文化傳統美德，但是隨著時代的進步，若干觀念的修正，也是這一代婦女的福氣。

閱讀心得

【第599篇】

鄭思肖畫失根的蘭花。

陳之藩是當代著名的散文家，他所寫的一篇『失根的蘭花』膾炙人口，被選入國中國文課本第五冊之中，許多同學畢業之後，仍然對這篇文章記憶深刻，因爲陳之藩把遊子想家的心情，描寫得細膩又動人。

其中有一段，陳之藩說道：『古人說，人生如萍，在水上亂流，那是因爲古人未出國門，沒有感覺離國之苦，萍總還有水流可藉。以我看，人生如絮，飄零在此萬紫千紅的春天。』

宋朝畫家鄭思肖畫蘭，連根帶葉，均飄於空中，人問其故，他說：『國土淪亡，根著何處？』國，就是土，沒有國的人，是沒有根的草，不待風雨折磨，即形枯萎了。

下面，我們要介紹的，就是畫蘭露根的鄭思肖。鄭思肖，原名鄭所南，思肖兩字，是宋朝滅亡之後，才取的名字，按宋朝皇帝姓趙，趙字去掉『走』字偏旁就是肖，思肖即是思趙，想念趙家天下的宋朝也。

鄭所南的父親名叫鄭起，鄭家世世代代詩書傳家，鄭起爲人一絲不苟，剛正不阿，完完全全是標準的儒生。

鄭起除了讀書之外，只愛喝酒，他曾說：『有酒即飲朋友，有錢即與朋友。』對朋友相當夠義氣。鄭起曾經在潛縣、諸暨等地擔任地方教育主

管，也做過書院山長，並在無錫講學，他對於理學十分有研究，完全是一副道學先生的嚴肅模樣。

鄭起不喜古董，不愛琴棋，只喜歡讀書，他對於兒子鄭所南的教育也是如此，非常嚴厲，鞭策兒子專心讀書求學問。

鄭所南小時候，經常挨揍，鄭起是絕對相信棒頭下出孝子的人。而且，鄭起的妻子樓氏與他步調一致，絕不護短，打起兒子來，比做爸爸的還要兇，樓氏有一句口頭禪：『假如你不聽你父親的話，我看我還不如死掉。』

做媽媽的，講得如此嚴重，嚇得鄭所南從小就戰戰兢兢，不敢不乖，他對於父親的嚴厲教誨，卻是一直心懷感恩。

長大以後，鄭所南曾經以太學上舍生的身分，應博學宏詞科，等於是殿試及第了，但是，鄭所南對做官的興趣並不濃厚，他只是一心一意想要救國。

當元兵南下，進犯杭州之時，鄭所南想起，北宋時代太學生陳東，曾經伏闕上書，跪在皇宮門外，力陳國事之非，提出嚴厲批評，後來，陳東因此被判死刑，但是贏得了宋朝人的衷心敬佩。

鄭所南認爲，知識份子就該有此風骨，他願意效法陳東，跪在宮門，上書宋朝幼主，痛陳國是利弊。然而，由於他措詞強烈，引起執政者大大的不悅，把他的上書擱置一旁，完全沒有任何反應。

鄭所南很生氣，但是生氣沒多久，宋朝滅亡，他整個人陷入長期的哀痛之中，總是在夢中嚎啕大哭，高聲喊叫：『大宋，大宋！』醒來之後，淚流滿頰。

在他看來，宋朝等於是父母，且別說元朝統治漢人，出現了種族問題，即便『縱遇聖明過堯舜，畢竟不是親父母，千言萬語只一語，還我大宋舊疆土。』

由於鄭所南對國家忠心耿耿，死心塌地，所以宋朝雖然滅亡了，他不論寫任何書信文字，落款永遠是德祐若干年，德祐是五歲小皇帝帝㬎的年號，有人指正鄭所南：『老兄，現在早已改朝換代了，你還活在過去啊？』

『我腳上踏的是宋朝的土地，頭上頂的是大宋的青天，身上穿的是大宋的服裝，口中吃的是大宋的食糧，我對於宋朝，絕對是有死無二。你難道沒有聽說過嗎？婦無二夫、子無二父、臣無二君。』

對方見鄭所南如此執拗，也只能隨他去了。

鄭所南擅長於畫墨蘭，也就是不著顏色，以水墨淺暈表現的蘭花，蘭花號稱王者之香，它是文靜幽雅的象徵。因爲蘭花是生長於幽谷之中，它從不取媚於人，也不願意移居城市之中，即使移居了，灌溉看顧也得特別的小心，否則會立刻枯死。所以古人書中，常把深閨的美女，或是隱居山僻不求名利的人稱爲『空谷幽蘭』，鄭所南愛蘭，自然也很欣賞蘭花的美德。

自從宋朝滅亡之後，鄭所南所畫的墨蘭，全都沒有土地，一枝一枝飄在半空之中，有人問：『你畫的蘭花，沒有附著在泥土之中，蘭花怎麼活？』他反問道：『土地早被番人給奪去了，莫非你不知道？』他這番話其實是以失根的蘭花自喻，孤芳獨賞，一任飄零。

鄭所南與書畫大家趙孟頫原是好朋友，趙孟頫姓趙，原是鄭所南所思念的宋朝宗室後裔，豈料趙孟頫竟然投降元朝，還做了官，鄭所南一怒，與趙孟頫完全斷交。

元朝王逢很欣賞鄭所南的墨蘭，三番兩次前來索畫，鄭所南相應不理，怒氣沖天的說：『頭可斷，蘭不可得。』

元朝藝術界對鄭所南其人其畫，都相當的欣賞，認爲是『清高絕俗，天眞爛漫』。可惜他的畫，現在一幅也沒有傳下來，他在『一是居士』自傳中說：『一是居士，大宋人也，生於宋，長於宋，死於宋。』

在上篇『餓死事小失節事大』之中，我們提到宋朝人對婦女守貞的觀念，現代人不免覺得道學先生對女貞太苛求。其實，真正的道學家對自己道德標準更嚴格，鄭所南就是最好的例子。

閱讀心得

【第600篇】

宋代民間婚俗。

婚姻是人生大事，因此，許多講究的人家，規矩特別多，有人以為這是本省民間風俗，殊不知多半是遵循古禮，尤其是宋朝人留下來的規矩。現在，讓我們走入時光隧道，看一看宋朝民間婚俗。

當然，民間婚俗，貧富與否，其間差異甚大，京都富豪之家，規模之大，可以媲美皇親，一般升斗小民，不免因陋就簡。

譬如《太平廣記》書中，記載有一富商鄒鳳熾，長得肩高背曲，貌似駱駝，人們稱之爲鄒駱駝。

鄒駱駝雖然長得不怎麼樣，卻是大大的有錢，當他嫁女兒當天，賓客數千，盛極一時，新娘子出來的時候，身旁數百侍婢圍繞，個個美如天仙，而且打扮得綺麗珠翠，垂釵曳履，簡直像是選美大會。來賓們看得兩眼發直，鄒駱駝樂壞了，不過他女兒有點兒嘀咕，新娘子反而被冷落了。

宋代一般民間富貴之家，婚娶之禮，先憑媒人說合，然後，用草帖子通知男方，其內容不外是年齡、屬肖、生辰。

男家拿了草帖子，問卜求籤，看看是否相剋相沖。

所謂相剋之說，現在看來，可說是荒誕無稽，但是，中國古人卻可是深信不疑，例如一首歌謠唱道：『白馬自古怕青牛，羊鼠相見一旦休，龍

囍

逢兔兒雲端去，金雞見犬淚交流，蛇見猛虎如刀斬，小豬個個怕猿猴。』

這是道出哪些生肖相剋相沖。

男方卜得吉利以後，再寫回帖，由媒人通知女家表示同意。回帖又稱爲細帖，相當於古代的納吉之禮，帖中序明男家三代官品職位，第幾男，生辰八字，如果是入贅，還要註明新娘要帶過來多少金銀、田土、財產、宅舍、房廊、山園，眞是洋洋大觀。

女家接到細帖，也用同樣方法，開寫定帖，列舉新娘是第幾女，生年甲子，以及陪嫁多少房奩（陪嫁衣物）、首飾、金銀、珠寶、帳幔，以及田土、房業、山園，甚且，在定帖之中，還要詳列主婚人姓名、榮銜、家產……等等。

在中國人過去的觀念之中，結婚不是男女雙方相愛，而是兩個家族的結合，其中物質條件佔了相當份量，可謂相當俗氣的一件事。

男女雙方稱斤論兩，彼此覺得滿意之後，這才由雙方家長會同媒人，在一家花園或湖舫之內相見，就是相親。

所謂相親，其實什麼也看不見，女子多半怕羞，悄悄的躲開，男方相不到媳婦，只有看看她兄弟的長相，胡亂猜一通，所謂是『買衣服看袖子，娶媳婦看舅子』，可惜兄妹相像，姐弟相像的情形並不多。

相親之時，如果雙方看得順眼，就把金釵插在冠髻之中，表示插釵，萬一不中意，則送彩緞兩疋，稱爲壓驚，表示白忙一場。

相親滿意之後，再由媒人往女家報定，稱爲議定禮，如果是富豪之家，報定要準備珠翠、首飾、金器、銷金裙褶，以及四罇或八罇金瓶酒，用兩匹羊負載送過去。

女方接過定禮，也不能含糊，回定禮是早就預備好的。並且將原先送來的茶餅羊酒之中，抽出一部份送回，在空酒罇裡放入清水，盛兩對金魚，筷子一雙，謂之回魚箸（箸就是筷子）。考究的人，多半用金銀再打造一雙魚一對筷子。

到此爲止，男女雙方已經花費不少，所以，宋人婚配非要門當戶對不可，不然，對方這番排場壓過來，如果沒法再壓回去，面子上就不好看了。接下來，才是正正式式的下聘，這個聘禮當然要格外隆重，女方接了聘，也有一份厚禮相報，而且，挑禮前來的工人還要領賞，難怪古人說齊大非偶，太富貴的人家，勉勉強強高攀，那眞是存心跟自己過不去。

雙方下禮之後，彼此就成爲親家，逢年過節，少不得互相餽送，聯絡感情。好容易選中黃道吉日，決定了婚禮日期，在成婚之前三天，男方要送來催粧花髻、銷金蓋頭，與花粉畫綵等新娘子打扮用的東西，女家則答以羅花幞頭、綠袍靴笏等新郎倌要用的物品。

在結婚前的一天，女家先派親友到男家掛帳、鋪設新房，陳設奩器，到處貼上『囍』字，在宋朝人觀念中，鋪房是一件大事，千萬馬虎不得。

宋朝以前，似乎沒有這種習俗，宋朝大思想家司馬光曾經在一篇文章之中寫道：『迎親前一日，女方派人佈置乘龍快婿的新房，稱之爲鋪房，古代雖然沒有這個習俗，現今世俗多用，不可廢也。凡是床榻、薦席、桌椅都是男方應當準備的，毯褥、帳幔等則是女方準備的，許多人趁此機會，故意誇示富貴，此乃婢妾小人之態，不足爲也。』司馬光雖然說不足爲也，卻經常有人爲此鬧得不可開交，甚且因此親家反成仇家，傷了彼此之間的和氣。

鋪房之後，還有很多規矩，我們下回再談。讀到這兒，也許不少讀者不由得會心一笑，時至今日，許多地方的習俗，特別重視鋪房，還要特別精心挑選一位有福氣的女方親友擔任，可惜的是，爲了辦喜事，親家變成仇家的不幸，在現代社會之中也時常耳聞，追根究柢，還是勢利心態作祟。

閱讀心得

【第601篇】宋人辦喜事。

在上一篇中，我們說到，宋人在迎親前一日，女家籌辦新房中家具器物，送往男家，佈置妥貼，謂之鋪房。

鋪房之後，佳期將至，男家派人赴女家催粧，女人化粧一向慢工出細活，尤其是要上花轎之前，豈可馬虎，這一折騰就沒完沒了，惟恐耽誤時辰，非得催上一催。

終於，吉時一到，男方帶著花瓶、花燭、化粧盒、照台、衣匣、清涼椅等，並且僱請官私妓女，騎著駿馬，一路上樂隊嗚哩嗚啦吹奏不停，大家都爭先恐後跑出來看熱鬧。

大隊人馬吹吹打打到了女家，先由樂官奏樂催粧，雙方家人僕從互唸吉祥詩句，然後，新娘終於出閣上轎。

新娘上轎之後，一路上又是嗚嗚吹奏不停，惹來一大堆好奇的人潮，到達了男家，更有一番好戲。

當花轎到達時，有人手執米斗，裡面裝滿了五穀、豆類與乾果對著大門，天女散花般對著面前潑撒。

這一撒，必然引得小朋友們嘻嘻哈哈，爭先恐後的前來拾取，這個風俗稱之爲『撒穀豆』，自西漢時即有，目的是驅除青羊、烏雞、青牛三煞，

囍

討個吉利。

此時新娘才可下轎，下轎時還有一個禁忌，就是腳不能碰地，非要走在鋪墊物上，可是路途還遠，哪有那麼長的墊子？於是僕人可累了，急著一路把兩三個墊子往前挪移，唐朝白居易有一首〈春深娶婦家詩〉中有『青衣傳毯褥，錦繡一條斜。』就是這個意思，青衣指的是僕人。

爲什麼新娘腳不能碰地呢？原來，按照迷信的說法，地與天都是無比神聖的，天有天神，地有地神，假如新娘的腳與地接觸時，不小心沖犯鬼神，可就糟了。在娘家時，新娘子可由父兄背著她上轎，可是到了婆家，沒人可抱她，又要避免兩腳不著地，只有鋪上墊子，一直到嘉禮完成，送入洞房。這也是現代婚禮中新人要步上紅毯的緣由。宋代娶親，不論貧富，這個習俗絕不能免，至於鋪毯、席、紅布條，質地如何，就看當事人財力如何了。

接著新人走進中門，被迎入一室中小歇，坐在帳中，稱爲『坐虛帳』，此時新郎換上了綠衣裳，頭戴花幞頭，前來與新娘共坐，稱爲『坐富貴』。稍坐不久，禮官高聲喊叫，請一對新人出房，新郎手執槐簡，身披紅綠絲綢，綰著同心結，倒退著走，新娘則挽綵結，亦步亦趨，謂之牽巾，新郎新娘牽挽著到禮堂前。

一直到這時，由一位男家中福壽雙全的女親，用秤桿將新娘的蓋頭挑開，新娘才露出了廬山眞面目，也可以由新郎親自揭開蓋頭，總之，不論是美是醜，是賢是愚，都要參拜堂前神祇、諸位尊親。

參拜既畢，新郎新娘手挽同心結，回房行交拜禮，這時候，禮官用金銀盤內盛金銀錢雜果，朝帳中撒去，謂之『撒帳』。

撒帳與前面花轎初抵男方家門撒穀豆不一樣，撒穀豆是避三煞，撒帳是祝福多生貴子。

據說撒帳之風，始於漢武帝之時，武帝鍾愛李夫人，當李夫人初至，武帝迎入帳中，預先命宮人遙撒五色同心花果，武帝與夫人撩起衣裙盛之，武帝含笑對李夫人說：『接果愈多，代表得子愈多。』

撒帳之後，新郎新娘共飲交杯酒，飲罷，將兩只酒杯，一仰一覆安放在新床下面，接著，男左女右結髮，行合髻禮，接著，新人換裝，謝親朋，擺下喜筵，婚禮才大功告成，眞是既複雜又辛苦。

這以後三天，女家備禮，送往新婿之家，謂之『送三朝』，一對新人於三日，或七日或九日，回往女家，行『拜門禮』，一直要鬧到滿月，女家送彌月禮，婿家張宴款親，謂之『賀滿月』。

另外，新娘在下轎之後，入洞房之前，照例要先拜天地，依次拜祖先、公婆與尊長，並且要薦棗栗脩給公婆，以討公婆歡心。

棗栗就是棗子與栗子，俗語說：『吃棗得小，吃栗得妮。』小是小男孩，妮是小女孩，棗栗是早生貴子之意，脩則是肉脯，規矩很多。

這套風俗，流傳至今，譬如新娘子到了婆家，衆人七手八脚，幫忙傳遞脚下墊子，大家都這麼做，卻不知爲什麼，更不知中國人在宋朝，甚且更早以前，已經有此做法。

說起來，老祖宗的規矩，一代又一代綿延至今，也是挺有人情味的。現在許多人結婚，除了披上白紗之外，也流行戴上鳳冠，穿起長袍，甚且安排一頂花轎，照幾幀傳統的結婚照，覺得古意盎然，情趣橫生。中國人畢竟是中國人，血液裡面流著屬於中國的情愫，台灣的每一樣風俗，追根究柢，往往是福建泉州的老風俗，往上追溯，更是老祖宗的遺風。

閱讀心得

【第602篇】宋代都市的夜生活。

中國古代，在宋朝以前，一到晚上，家家戶戶門窗緊閉，不再外出，街道之上淒涼、寂寞而清靜。

周朝周禮秋官篇記載：『禁宵行者，夜遊行者。』漢朝也是如此。史記李廣傳之中有一段：漢朝大將軍李廣出雁門關，匈奴仗著人多勢衆，打敗李廣，單于久聞李廣大名，早就下令，不得射殺，務必生擒。匈奴終於得到了李廣，好不開心，李廣傷勢沉重，匈奴就把李廣縛在馬上，歡天喜地，高奏凱歌押回大營之中。

李廣雖然受了傷，神志卻非常清醒，他閉起眼睛，假裝奄奄一息的模樣，暗地裡卻在找尋機會。

忽然間，李廣發現有個小胡兒，騎的是難得一見的良馬，他掙脫了繩索，跳到馬背上，推倒小胡兒，奪得弓箭，快馬加鞭飛奔而去，一路逃回了漢朝，藏入山中，漢人起初以爲李廣死在異地。

有天晚上，李廣去田間一個朋友家中喝酒，回來晚了，被霸陵尉發現，大聲喝止道：『你難道不曉得天黑之後不准夜行。』

『我，我是以前的李將軍啊。』李廣著急的辯白。

『現在的李將軍都不得夜行，管你什麼過去的李將軍。』

於是，霸陵尉把李廣扣留在亭中，到第二天才放他走。

由這個故事，我們可以知道，漢朝時候，入夜是不得外出的。

到了唐朝，雖然東南大都市揚州、廣州的經濟都非常繁榮，晚上也頗為熱鬧。可是京師一帶，仍舊一片冷清，禁止夜行。每天快入夜時，京城內金吾（官名，掌管治安工作），便會高聲傳呼，鼓聲四動，提醒人們趕快回家，切勿犯禁。

然而，到了宋朝，都市的夜晚，有了驚人的發展，可謂『車如流水馬如龍』。在汴京城北州橋，車馬擁擠，熱鬧非凡，連路人行走也困難，載運貨物的車輛，還在晚上特別掛了一個鈴鐺，好讓遠來車相避，免得發生交通事故。

不但陸上交通如此熱絡，連水上交通，入夜之後也相當繁盛，杭州米船到達碼頭的時間，常在夜晚，工人們卸下貨物以後，經常到夜市去逛一逛，兜兜風。

杭州大街買賣，經常是晝夜不絕，有的夜市三更收攤，五更又開張，夜貓子不愁沒有地方去樂。

甚至有的茶店、酒店及路邊小攤，專作消夜生意，到了半夜三更才開市，一直鬧到凌晨打烊，簡直和今天台北、高雄等大都市的情形一樣。

至於夜市中到底賣些什麼呢？好比現在的百貨公司中樣樣都有，色色俱備，其中尤其是賣食物的最多，中國人講究吃，眞是自古已然。

在夏天，小吃攤多半是賣涼的，如冰雪冷元子、水晶角兒、生淹水木瓜等。到了冬天，又都改爲熱騰騰的族炙豬皮肉、野鴨肉、商酥水晶鱠等，自朱雀橋到龍津橋，擠滿了大快朵頤的食客。

除了固定的小吃攤，還有小販頂在頭上賣的羊脂韭餅、春餅等，邊賣邊吆喝，也是夜市一景，或者是沿街推的車擔，客人來了，停下車子，擺好椅子，張羅茶湯、餛飩，別有一番風味。

南宋時，苦於北來胡人的壓迫，然而中國飲食文明，又很快地把胡食納入，其中後市街一家姓賀的，調製胡餅特別道地，每個賣到五百貫，香香酥酥，趁熱享用好吃極了，往往供不應求。另有波斯薑鼓，也很受歡迎，顧名思義，這是波斯來的異國風味，薑鼓是什麼玩意兒，就不知道了。

宋朝女子地位低，可是有幾個宋朝婦女卻因爲烹飪功夫了得，都成了富婆，例如李婆婆羹是著名的餐館，宋五嫂魚羹更是了不起，杭州城裡城外，無人不知，無人不曉，宋五嫂的魚羹碗兒不大，大概與台南度小月的肉燥麵差不多，稠稠濃濃，熱氣冒三尺，令人饞涎欲滴，連皇帝都經常派人去買幾碗來享受。

除了食物之外，算命先生也爲夜市平添不少熱鬧，中國人最愛摸骨看相細批流年，問問妻財子祿，不愁沒話說。

夜市之中且有音樂悠揚，酒樓歌館一直要鬧到四更之後才漸漸安靜下來。

宋代的酒樓更是愈晚愈盛，濃粧豔抹的青樓佳人，簇擁在樓廊上，等待酒客呼喚。也有那愛好風雅的子弟，在花竹掩映，垂簾下幕，召來歌妓唱歌，玩個通宵達旦。

一些富豪之家，嫌街上的人多嘈雜就在自家中過夜生活，當時講究的人家，把僕役分爲四司六局：帳設司、廚司、茶酒司、合盤司、果子局、蜜煮局、菜蔬局、油燭局、香藥局、排辦局，到了夜晚，對於夜宴而言，油燭局是相當重要的工作，負責上燭，修燭，裝火，備炭，把夜晚裝點得如白日一般光燦，可以盡情歡樂。

宋代都市的夜生活，紙醉金迷，熱鬧非凡，可惜卻是十分的粉飾太平，人民多半缺乏憂患意識，反正今朝有酒今朝醉，果然，夜生活的繁華沒有持續多久，終於淪入元人之手。

閱讀心得

【第603篇】

鐵哥吃手扒雞。

元世祖忽必烈是元朝的開國君主（從忽必烈開始才建國號為『元』，以前都稱為蒙古），不論文治武功，均極輝煌。他是成吉思汗的愛孫之一，睿宗拖雷之子，憲宗蒙哥之弟。

相傳在猴兒年（一二二四年），成吉思汗討伐花剌子模歸來，班師回國之時，忽必烈只有十一歲，在邊境迎接爺爺，爺爺一見他『臉上有光，目中有火』，就非常疼愛這個孫子，祖孫二人曾經在乃蠻的國界上騎馬射獵，玩得不亦樂乎。

拖雷是老么，很得成吉思汗的歡喜，他也的確是個人才，而且對兄長十分尊敬。有一次，窩闊臺生了重病，他竟然祈求神明，願意代替哥哥而死，因此，他雖然只活了短短的四十年，他這份自我犧牲的精神，引起了蒙古各部落對他家的愛戴與同情。

拖雷的妻子莎兒合黑塔尼，是克烈部王汗的姪女兒，出身世家，英明幹練，人緣很好，是個賢妻良母，她一共生了十一個兒子。

蒙哥汗討伐宋朝之時，命令忽必烈統治漠南地區。忽必烈曾經延攬了大批中原的漢人，使他接觸到中原的文化與政治思想，其中，對忽必烈影響最大的是姚樞。

忽必烈在漢南，治理地方井井有條，很得人民的愛戴，譬如他制止蒙古官吏濫施刑罰，就值得大書特書。

當時燕京行省的長官不只兒，一向以苛虐著名，有一天，他竟然下令殺了二十八個人。

後來，來了一個倒楣的盜馬賊，先是被不只兒狠狠派人打了一頓，訓斥一番，放了回去。

忽然之間，有人獻媚，送來一把亮閃閃的環刀。不只兒用手試試環刀的刀鋒，果然很利，興致來了，對手下道：『你們快去把剛剛那個偷馬的找回來，我要拿這把環刀殺個人，看看好用不好用。』

於是，盜馬賊被捉回來了，一手摀著被打得皮開肉綻的傷口，還弄不清發生了什麼事，不只兒已手起刀落，把盜馬賊給斬了，還嘖嘖稱奇道：『果然好刀。』

忽必烈知道不只兒草菅人命的事以後，把他找來訓斥道：『凡是判定死罪者，必然詳細審問，確定無訛之後，方可行刑。人命關天，不是鬧著玩的，你一天之中殺了二十八個人，想來其中必然有無辜冤死者，這還不算，哪有先把人打了一頓，宣佈釋放，然後再處死刑的，這算什麼荒唐的刑罰？』

不只兒一向殺人殺慣了，而且從不覺得殺個不值錢的漢人有什麼關係，當場楞在那兒，不曉得該如何回話。

忽必烈聽從姚樞的勸告『收人心，止殺戮』，卻給自己找來了麻煩。有人向蒙哥汗打小報告，說忽必烈『深得漢土人心，財賦盡入王府，恐怕枝大於本，不利於朝廷。』

蒙哥聽了，也起了疑竇，特地派了『鉤考局』去調查這件事。忽必烈知道，大爲憤慨，怒氣上衝。結果，還是聽了姚樞的建議，親自前往行在去謁見皇兄蒙哥汗，當面解釋誤會，兄弟相對涕泣，盡釋前嫌，這又是中國儒家待人處世的哲學。

一般說來，蒙古人對漢人，很有一種優越感，但是，忽必烈的觀念比較平等，從他對鐵哥的婚姻一事可知。

鐵哥是西域人，他的叔叔那摩，被蒙哥汗尊爲國師。鐵哥四歲的時候，跟著叔叔晉見蒙哥汗。蒙哥汗見這個小男孩眉清目秀，好生歡喜，問道：

『這是誰的小孩啊？』

國師回答：『我哥哥的兒子。』

蒙哥汗正在吃手扒雞，順手就把雞全給了鐵哥，奇怪的是，鐵哥謝過之後，捧在手中也不吃，蒙哥汗問道：『這雞很香，你爲什麼不嘗嘗看？』

小鐵哥竟然說：『我帶回去給媽媽吃。』

蒙哥很驚訝，連忙叫人再拿一隻雞來給孝順的小男生，小男生這才津津有味的啃雞腿，領略蒙古烤肉的風味。

小男生長大以後，忽必烈也接了帝位，是爲元世祖，他也很疼愛鐵哥，在鐵哥十七歲那年，世祖下詔擇貴家女爲鐵哥作媒，鐵哥居然拒絕娶蒙古貴族，他說：『我母親是漢人，希望我娶一個漢人媳婦。』元世祖也就順從鐵哥的心願。

世祖對外國稱號大汗，在中國則尊號爲皇帝，並且與漢人一般，敬重孔子，推行孔學。

然而，世祖這套開明的作風，與當年蒙哥汗的守舊派有所歧異。同時，世祖與儒者親近，漢地學人不免興高采烈，多所宣揚，而不喜歡儒者的人，也自然妒忌不平，大事破壞。

其次，近侍中有人進讒言道：『論語八佾篇中說：「夷狄之有君，不如諸夏之亡。」（孔子的意思是，連夷狄都知道要有君長，不像今天諸侯亂紛紛，不敬周天子。）孔夫子豈不是有意誣衊邊疆民族，辱罵蒙古嗎？』

世祖被他這麼一挑撥，果然發火了。

於是，文學家虞集趕快解釋：『孔夫子在兩千年以前說這句話的意思，自然是有感而發，與現在無關，今天可汗承受天命，統有全中國，不應以古代小國之君自居。』

世祖器大量大，也就不予計較了，他還是巧妙運用兩元政治，用漢地成法治理漢地，用蒙古成法治理蒙古，他的成功，不在於用武力臣服中國，而是能在這一廣土衆民的大國，統一之後加以安定，這就是所謂『有容乃大』也。

閱讀心得

【第604篇】

元世祖東征日本。

元世祖忽必烈是繼成吉思汗以後，一位偉大的帝王，當他建都燕京滅宋而統治了中國以後，便以大蒙古帝國可汗兼爲中國之大皇帝。

蒙古是個戰鬥的民族，他的軍事擴張永無止境，看他們可汗對外族的挑戰書，動不動就說：『吾人爲地上的天軍，上帝創造吾人，用來處罰上天所憤怒討厭的人。』可見得蒙古自以爲代表上天的意旨，替天行道，征服與處罰不服從他們的罪人。

元世祖在中國建立了大元帝國的同時，仍然秉承列祖列宗的遺志，繼續對外作軍事上的擴張。所不同的是，以前擴張的地方是西北，蒙古馬隊所向無敵，這以後的目標轉往東南海外諸國，攻勢雖猛，畢竟蒙古人不擅長海戰，有時不免失利。

遠在蒙哥汗之時，幾次東征高麗，高麗國王遣其太子王倎到中國來，世祖忽必烈見王倎長得眉清目秀，言談舉止彬彬有禮，非常歡喜，雙方談得很投機。

不久，蒙哥汗在釣魚山合州城暴卒，世祖即位，用漢人趙良弼的建議，對王倎優禮有加，十分客氣，並且派兵護送王倎回國。

王倎回到了高麗，繼承了父親的王位，改名王禃，是爲元宗，接受蒙

古璽書冊封，以後，高麗的歷代國王，都娶元朝公主，並且學習元朝辮髮胡服的風俗，在至元二十年，元朝於高麗設征東行中書省，高麗正式成爲元朝的一部份。

元世祖既然征服高麗，因高麗而得知日本人的情報，開始對日本產生興趣。

日本與中國的交通始於何時，未有定論。但是，根據山海經的記載，遠在周朝時代，中國已知日本的存在。不過，中國古籍中稱日本爲『倭』或『倭奴』，而不稱『日本』，當時的日本人也往往自稱爲『倭』。到了唐代，日本國內漢學興起，讀了點書，發現了『倭』字實在太難聽，太不雅了，乃改稱爲『日本』。從漢代開始，日本不斷有使者來到中國，將中國許多物品帶回去，到了隋唐時代，中日之間交通頻繁，日本曾經派出五次遣隋使，二十次遣唐使，更有大批留學生與學問僧前來中國，造成『大化革新』，南宋時代理學傳入日本，朱熹與程頤程顥之學說在日本甚爲流行，尤其是禪學。

元世祖在至元三年，命令兵部侍郎黑的（這個名字很奇怪），拿著國書到日本，要求通好。這封國書寫得霸氣十足：

『大蒙古皇帝，奉書日本國王，朕即位之初，以高麗人民久遭戰火之苦，即令罷兵，還其疆域，高麗君臣感戴來朝，名義雖是君臣，彼此歡如父子，這些想來王之君臣也都知道，希望自今以後，通問結好，以相親睦。』

大元朝這封信的口氣，完全是『老子國』對待『兒子國』，言下之意，高麗既然是元朝的兒子國，日本能當兒子國，也應該是一件歡天喜地的事。

豈料，日本人對當兒子國興趣缺缺，黑的頹然而返，臨行前提了兩個日本島民一名塔二郎，一名彌四郎回朝鮮問話，以後，又進行了幾次外交，不得要領。到了至元十七年，日本人竟然殺死了元世祖派來的外交官杜世忠，世祖大為生氣，當即設立了日本行中書省，商議遠征日本的大計。

按照國際慣例，兩國相爭，不殺來使，日本人會有如此不識大體的行為，主要是當時日本武士精神洋溢，當政的北條時宗又年輕氣盛，初生之犢不畏虎。

當時，元世祖已經滅了南宋，收編了許多南宋降軍，正不知該拿這些殘兵怎麼辦，不如就去打日本吧，因此組織了一支蒙古、回回、漢人、南人（南宋的遺民被稱爲南人）合起來的雜牌軍隊，由宋朝降將范文虎率領，浩浩蕩蕩跨海東征。

誰知，當他們一行尚未到達海岸時，忽然颶風大作，原來遇上了一個超級強烈颱風，一時之間，風捲船旋，船上戰士們奔走呼號，奮鬥掙扎了老半天，才把一部份沒打沉的戰船，駛入五龍山靠岸。

這范文虎是賈似道的乘龍快婿，與他岳父一樣，是個典型的貪官汙吏，呂文煥苦守襄陽就是被他害慘的。他原本就是意志不堅的貳臣，才會迫不及待投降了元人，怎麼會爲元人打日本人而送命呢，那太划不來了，所以趕緊跳上一艘最堅固的大艦，匆匆忙忙逃回高麗合浦。其他高級將領見主帥已逃，也分別抱頭鼠竄。

一直過了半年以後，一個名叫于闐的東征士兵逃回中國，才透露：『當時大元帥跑了，軍中無主，大家公推張百户做元帥，我們在五龍山伐木料，準備造船及修補原有的殘破戰船，打算回國。誰知日本人包圍了我們，殺害了幾萬人，剩下兩三萬人被擄做俘虜，我便是其中一個。』這些被俘的元兵，被日本人編爲奴隸，稱爲唐人，這是蒙古對外用兵以來，最爲慘重的一次失敗。

如果不是用錯了將領，算錯了時間，天時與地利人和樣樣不對的話，日本人哪兒是蒙古人的對手，當時蒙古有一種強弓，據説開弓要有一六六磅的臂力，可貫穿一二十人，語雖誇大，然而強度之大無可懷疑。

由於日本人僥倖逃過這一劫，反倒加強了日本人的侵略思想，日本人更深信大和族人是神裔，天皇是神的代表，日本是神國，歷史上從未有大陸的武力侵入過日本，元朝大軍試圖征伐日本沒有成功，可見得天祐日本，所以後來他們才會發瘋似的挑起侵略中國的戰爭。

閱讀心得

【第605篇】

波羅兄弟到中國。

元朝初年，國家魄力雄厚，處處表現出建國的精神，展示恢宏的氣象，令人爲之驚心眩目，要了解元世祖的霸業，不妨參看馬可波羅的遊記。

《馬可波羅遊記》，是十三世紀末葉，歐洲人馬可波羅，根據其親眼目睹中國的情況，所寫成的一本最有名，也最有影響力的傳奇性的記載，這部書可以作爲正史的一種參考資料。後來，哥倫布立志要環繞地球，去發現東方，據說就是受這本書的影響。

許多人對馬可波羅四個字都耳熟能詳，卻不知道這本書究竟寫些什麼東西，讓西方人大開眼界。我們現在來介紹一下馬可波羅這個人和他的遊記中一部份精采的故事。

西元一二六〇年，在君士坦丁堡（今天的土耳其西部），住著兩個兄弟——尼可羅波羅和瑪竇波羅（以下簡稱波羅兄弟，他們分別是馬可波羅的父親與叔父）。

波羅兄弟是義大利威尼斯商人。由於威尼斯人在西元一二〇四年，打敗了拜占庭帝國，以希臘領海爲中心，君士坦丁堡爲據點，建立了霸權式的通商活動。波羅兄弟頭腦靈光，富有冒險精神，在君士坦丁堡購買了一批珠寶，到外地去碰碰運氣。

他倆乘船到了速達克，把珠寶獻給了別兒哥汗，別兒哥汗非常高興，賞給他們超過兩倍珠寶價錢的財物。以後，波羅兄弟穿過沙漠，到了布花剌城，別兒哥汗與蒙古旭烈兀發生了戰爭，切斷君士坦丁堡的通路，波羅兄弟回不去，只好在布花剌城停了下來，這一歇腳就是整整三年。

有一天，一位旭烈兀的使者，偶然看到波羅兄弟，十分驚奇的問道：

『你們是拉丁人嗎？』

『是的，我們的老家在義大利威尼斯。』

『那太好了！』使者說：『在這一帶，除了你們，我還沒有見過拉丁人。我是奉了旭烈兀的命令到東方去朝見忽必烈可汗，有沒有興趣跟我一塊兒走，保證能夠得到榮華富貴。』

波羅兄弟是好奇心很重，而且極有冒險精神的人，一聽使者的慫恿，馬上答應了。使者也很開心，因爲他知道忽必烈喜歡新鮮的事物，若是看到拉丁人，一定覺得很有意思。

他們一行人，走走停停，花了一年的時間，才到達中國，晉見忽必烈大汗。忽必烈對歐洲十分陌生，波羅兄弟把歐洲的情形，詳詳細細報告一番，並且大力宣揚基督教。

『照你們說起來，基督教倒眞是不錯的宗教。』忽必烈大汗對波羅兄弟說：『我看不如這樣，我任命你們兄弟二人當我的使臣，回到羅馬去謁見教皇，請教皇派一百名有學問的基督教徒到中國來，這一百名基督徒必須具備七藝（就是修辭、邏輯、文法、數學、幾何、天文與音樂），還有，你們經過耶路撒冷的時候，順便到耶穌的墳上，取一點燈油回來。』

『是的，我們一定遵命。』波羅兄弟連連向大汗叩頭。

『現在，我賜你們一塊金牌，』大汗把一面刻有飛鷹張開翅膀、正想攫取食物雄姿的金牌，交給波羅兄弟：『這面金牌等於聖旨，你們有了它，就可以很順利的經過我所管轄的地方，並且能得到你們所需要的馬匹、駱駝與食物。』

的確，憑著那面金牌，波羅兄弟無往不利，沿途的官員無不殷勤接待。

西元一二九六年四月，波羅兄弟經過三年的長途跋涉，終於回到了老家威尼斯，尼可羅波羅見到自己的兒子——十五歲的馬可波羅，他的妻子已經去世了。

波羅兄弟在威尼斯待了兩年，見了新教皇格拉高雷十世，教皇並且爲他們祈禱，答應派兩名有學問的神父一塊去東方。

波羅兄弟第二度東行，還帶了十七歲的馬可波羅，他等一行經過的第一個有名的大都市是報達(今天伊拉克的首都巴格達)，它是回教徒心目中最重要的一個大城，城中曾經住著回教教主哈里發。

哈里發雖然威風八面，卻不敵蒙古的旭烈兀，旭烈兀在西元一二五五年的時候，大舉進攻報達。旭烈兀知道，想要攻下報達，可不是一件簡單的事，決定略施小計：

旭烈兀把大部份的兵馬，埋伏在城外廣闊的樹林之中，然後，命令小部份的人馬，故意踏著凌亂的步伐，垂頭喪氣往前進攻。

哈里發在城牆上一瞧，如此烏合之衆也膽敢前來，立刻帶著少數人馬就衝了出去。旭烈兀迎上前去，草草戰了幾回，撥馬便往樹林奔去，哈里發一路追到樹林，旭烈兀大軍包圍，三兩下就生擒了哈里發。

旭烈兀佔領報達之後，搜索全城，發現報達城中有一座寶塔，裡面全是金銀珠寶。旭烈兀責問哈里發：『你難道不知道蒙古軍的厲害，你怎敢鼓勵他們來反抗我呢？』

哈里發默不作聲。旭烈兀接著說：『你既然如此愛珠寶，我就讓你每天吃珠寶吃個夠吧！』

說完，旭烈兀便把哈里發囚在珠寶塔內，過了沒有多久，哈里發就活活餓死，史稱黑衣大食的阿拔斯朝正式滅亡，這是蒙古第三次西征的戰績。

馬可波羅到達報達，聽說了蒙古人西征的故事，更增加了他對晉見忽必烈可汗的好奇心。

【第606篇】

『山中老人』的故事。

我們說到，馬可波羅跟隨父親與叔父東來，準備前往中國。離開報達以後，三人行到了忽魯模斯，這是一個熱鬧的港口，每天都有許多印度商人把香料、寶石、珍珠、絲綢、象牙及其他各種貨物，運到這兒來轉賣到世界各地。

馬可波羅說：『爸爸，怎麼這樣熱鬧，我們找個地方歇一歇。』

『好的，我們到酒店去吧。』尼可羅波羅也是滿頭大汗，全身都溼漉漉地。
到了酒店裡，每人都仰起脖子，咕嘟咕嘟灌了好幾大杯棗子酒，香香醇醇，喝起來清涼有勁。

店主人含笑跑過來打招呼：『你們大概是第一次來忽魯模斯吧？』

『是的。』

『那我可得警告各位，棗子酒味道雖美，可是各位的腸胃一下子不能適應，恐怕難免會拉肚子，多喝幾次就沒事了。』

『管他的，喝了再說。對了，順便請問一下，城裡的人都到哪兒去了？』尼可羅波羅感到十分的好奇。

『各位先生，是這樣的，忽魯模斯實在太熱，就是我們當地人也吃不

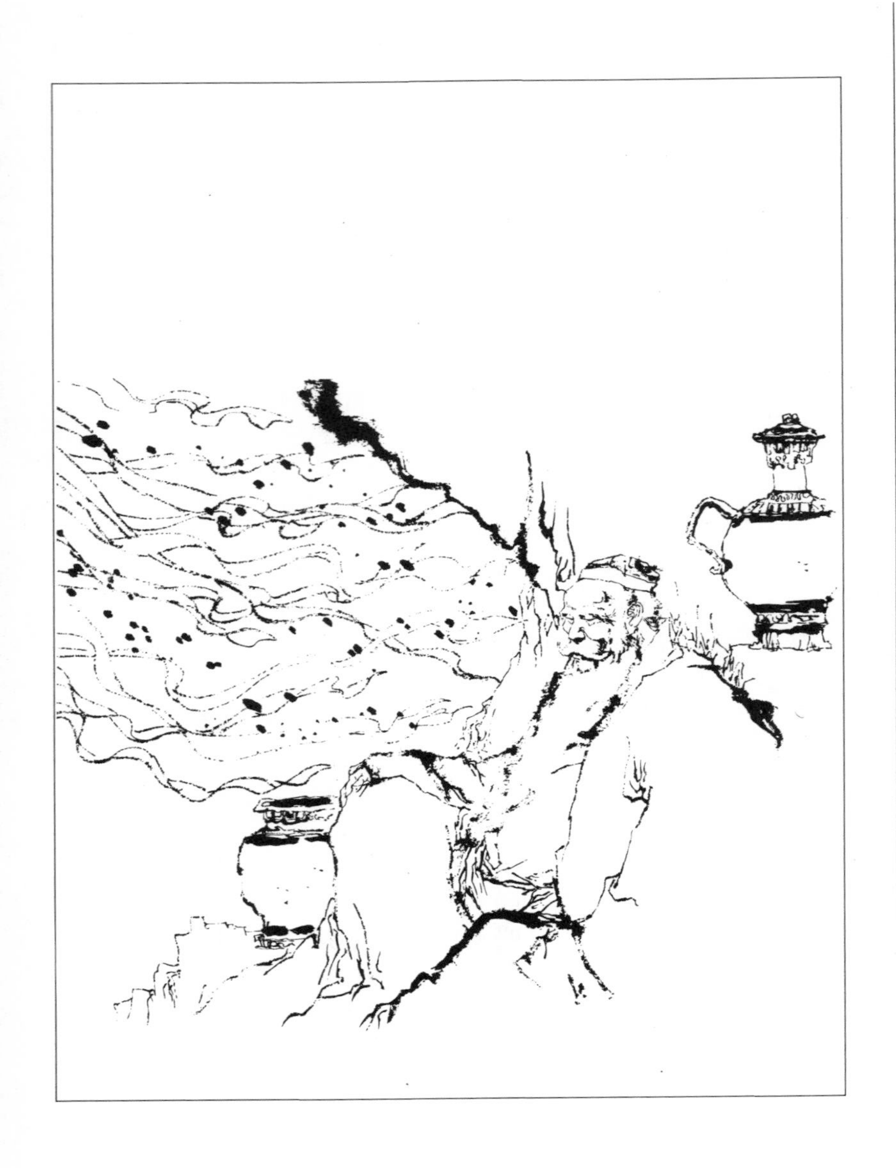

消，每當熱風來襲，只有一個辦法——把衣服脫光浸到水裡。』

馬可波羅望著圓圓滾滾的胖店主，想像他泡在水裡，露出一個腦袋的情景，一定很好玩，差一點兒噗哧一聲笑出來。

當天晚上，忽然傳來一則驚人的消息，鄰近的起兒漫王國，不滿意忽魯模斯王國膽敢自動的停止進貢，派出六千兵馬前來攻打。忽魯模斯全國上下沒一個兵，每個人都被太陽晒得七葷八素，懶懶的，哪兒抵擋得住大軍壓境呢？

第二天一大早，強烈的熱風來襲，氣溫直線上升，烤得大家透不過氣來，忽魯模斯人也顧不得馬上要開戰了，一個個剝得精赤條條，撲通一聲跳下水，馬可波羅等人也如法炮製。

到了晚上，天氣涼爽了，忽魯模斯人從水池裡鑽上來，忽然想起，奇怪，起兒漫人怎麼還沒來？

忽然有人高喊：『我們打勝了！』

忽魯模斯國一個兵也沒有，如何打勝仗？原來，老天爺幫忙，熱風把起兒漫大軍，活活給熱死了。

好奇的馬可波羅，隨著人潮，去看『打敗』了的起兒漫人，那些屍體已被熱風烤乾，只剩下一層皮包骨頭，當屍體被輕輕一拉，四肢與頭顱就會一片一片往下掉，骨頭更是一觸就碎，眞是可怕極了。

離開了忽魯模斯，經過一大片沙漠，他們一行來到木剌夷，馬可波羅聽說『山中老人』的故事，覺得十分新鮮，趕緊把它記下來：

原來，在木剌夷境内有兩座山，山谷中住著一個富裕的老人亞勞丁，人們稱之爲山中老人。

山中老人在山谷裡，建了一座豪華美麗的花園別墅，牆壁上塗著厚厚的黃金，掛滿了來自世界各地的藝術品，花園裡種植著許多奇花異樹，美不勝收。

最奇特的是，花園中到處都設有自來水管，除了自來水外，另有三種管道，分別流著葡萄酒、牛奶與蜂蜜，隨時可以取用。此外，花園裡還有一群能歌善舞，貌美如花的人間仙子，她們不但歌聲婉轉，舞姿曼妙，而且懂得迷惑男人。

花園四周全是高山峭壁，只有一扇小小的門與外界相通，門口並且架著一門堅固的炮臺看守著。

山中老人把木刺夷國內，所有會使用武器的壯丁召集到花園來，給他們每人一杯酒，當他們酒醒之後，睜開眼睛一看，哇，不得了，這不是回教教主穆罕默德所允諾的天國嗎？天國裡有流著牛奶和蜂蜜的河流，有美麗的仙女伺候著，還正在半夢半醒之間，仙女們笑盈盈的端著山珍海味走過來，獻上甜甜的香吻。

年輕人簡直骨頭都酥了，他們盡情的歡笑，痛快的喝酒，和美人們瘋狂的嬉戲，享受著從未享受過的美好生活。

可惜，好景不常，在『天國』裡舒舒服服過了四五天之後，山中老人在酒裡又加了迷幻藥，趁他們昏昏睡去，偷偷的把小伙子又抬回原地。

當他們悠悠醒來，醇酒呢？美人呢？怎麼全都不見了？他們怒吼著，生氣地捶打牆壁！

這時，山中老人又輕飄飄的走了出來，他高聲問道：『你們既然去過天堂，還想不想再去？』

『我們願意一輩子待在天堂。』眾人異口同聲喊道。

『好的。』山中老人莊嚴的宣佈：『你們如果想去天堂，就得乖乖聽我的話，我要你們做什麼，你們必須立刻照做，如果成功的話，我會命令天神領你們到天堂去，要是你們因爲執行命令而犧牲了，你們會直接入天堂，永遠過著幸福的生活。』

那些青年頭腦簡單，一聽之下樂不可支，個個盼望山中老人先點到他。

山中老人到底要青年們做什麼？原來是暗殺鄰居的國王或富豪以奪取金銀財寶。那些奉命前去暗殺的青年，一點也不害怕，總是抱著喜悅的心挺上前去，甚且恨不得早死早好早上天堂，重溫醇酒美人的舊夢，所以暗殺團無往不利。

這個『山中老人』的故事，聽起來很玄妙，卻是眞有其事。這是回教之中一個宗派，叫做伊斯邁理派的故事。這個宗教派暗殺者的事蹟，歷史上都有記載，他們給青年喝的昏迷藥水，稱爲哈昔散，歐洲人把暗殺稱爲阿沙辛，就是從哈昔散這個藥名演變而來。

閱讀心得

【第607篇】馬可波羅晉見忽必烈大汗。

在上一篇中，我們說到，馬可波羅到了木剌夷，聽說了山中老人組織刺客團的怪事。接著，他們步上了更辛苦的路程——世界屋脊的帕米爾高原。

馬可波羅雖然穿上厚厚的皮衣，縮緊了脖子，仍然不斷的打哆嗦，沿途不見任何人煙，腳下踩著，是經年不融的冰雪，又冷又硬又滑，眞正是不好受啊。

在雪地裡，一行人七手八脚架好了帳篷，馬可波羅找來一堆石塊，在石竈之下生火，他不解道：『奇怪，這個火既不亮也不熱。』

接著，馬可波羅開始烤牛肉，肚子餓得要命，可是牛肉總是烤不熟。尼可羅波羅說：『大概是太冷了吧。』

其實，這不是寒冷的緣故，而是因爲帕米爾高原高達海拔六千公尺，空氣稀薄，氣壓太低。不過，在那個時代，還沒有人知道燃燒需要氧氣的化學原理。

這兒有一種羊，稱爲羚羊，跑得飛快，羚羊在帕米爾高原十分管用，牠的犄角有一公尺半，養羊的人把它割下當成飯碗、碟子、杓子，並且用它做成柵欄，用來保護山羊綿羊，免得被狼群攻擊。

帕米爾高原不但人受不了，馬匹也吃不消，牠們吐出來的氣是白色的，氣一出口馬上凍成一顆顆小水珠，迸落到地上。

在世界屋脊步行了十二天，他們終於離開了冰天雪地，穿過中亞細亞，進入中國境內，直向羅布泊大沙漠。

他們一行人在羅布城住了一個星期，準備了足夠一個月使用的糧食，在嚮導的帶領之下，一隊人騎上了駱駝，踏上沙漠之旅。

城裡的人，用一種哀傷的眼神看著他們，一個老人搖搖頭道：『這些人不會再回來啦。』

另一個老人把一些銅幣撒在他們頭上說：『祝你們平安。』

沙漠的確是可怕，一望無際，只有沙海，沒有樹木，也沒有飛鳥。

嚮導賈修姆正色的警告説：『你們要小心，千萬不可以脱隊，如果有人覺得太累，想要休息一下，必須大家一塊兒休息。否則，一不小心稍微落後，便會離群失散，再也找不回來，即使大吼大叫也沒有用，因爲沙漠裡巨大的風聲，早就把人聲淹沒了。有時候，失散的人會錯覺有同伴在喊他，於是他就跟著聲音摸索，據説這是沙漠中的鬼魅，你愈跟愈遠，最後，成爲沙漠裡的一堆白骨。』

嚮導這番話，大家聽得毛骨悚然。在沙漠裡行進，是一種可怕的經驗。然而，在沙漠裡過夜，更讓人膽戰心驚，有哭聲、有笑聲、有馬蹄聲、有吶喊聲，更像有無數妖魔鬼怪在帳篷外面，張牙舞爪，想要衝進來吃人。這種鬼魅之聲，白天也一樣有，乍聽之下，似乎是一群土人在跳舞，其實，半個人也沒有，所謂的鬼魅，都是風聲罷了。

沙漠中最缺乏的，當然就是水了，每一個旅客在橫過沙漠之前，總會盡量多帶水，可是，要帶足三十天的用水，實在不容易，而且沙漠中烈日當空，太陽像個大火球似的，當馬可波羅等人終於穿越沙漠，他們已經又累又渴，全身髒得如泥人一般。

經過了千辛萬苦，他們好容易到達了中國的甘州，與元朝政府取得聯繫，忽必烈大汗命令他等一年之後再起程赴上都，眞是好事多磨也。

上都是元朝的都城，位於今天察哈爾多倫縣西北四十公里處，現在已成爲一片廢墟。是忽必烈大汗所建造的，城裡有一座用大理石砌成的皇宮，宮內的殿閣都貼上金光閃閃的葉片，牆壁與柱子上雕刻著各種飛禽鳥獸草木花卉，屋頂上更刻有一隻在雲中搏鬥的金龍，威武極了。

馬可波羅跟著父親叔父步入宮內，閃著好奇的眼神，到處觀看，每一件東西，都讓他咋舌稱奇，大廳的正面，有座朱紅欄杆的高壇，放著一把用黃金與象牙雕刻的椅子，雄姿英發的忽必烈大汗正莊嚴的坐在上面。

『臣尼可羅波羅、瑪竇波羅、馬可波羅叩見！』他三人跪伏在忽必烈的脚下。

『你們起來吧，一路辛苦了。』忽必烈溫和的說。

馬可波羅這才敢正視這位統治歐亞帝國的大汗，他的第一印象是：『大汗不長不短，中等身材，筋肉與四肢配置適宜，眼黑、鼻正。』忽必烈態度沉著，目光炯炯，完全一派君王威嚴。

接著，尼可羅呈上教皇的信與耶穌墓上的油燈，並且略微敘述路上的行程。忽必烈聽得極有興趣，不斷的點頭。

最後，忽必烈把眼光落到馬可波羅身上，說道：『你們一進來，我就注意到這個小伙子，看起來很聰明，他是誰？』

尼可羅波羅恭恭敬敬的回話：『陛下的臣僕，我的小孩子，一塊自威尼斯來的。』

『來得好，他叫什麼名字？』

『馬可波羅。』

『馬可波羅，我准許你跟著我去打獵，去看看汗八里城，再去中國各地走一走，你願意嗎？』

『多謝陛下！』馬可波羅立刻跪下，開心極了，他終於能實現心中的美夢了。

閱讀心得

【第608篇】忽必烈的生日宴會

在上一篇之中，我們說到，馬可波羅終於到達夢寐以求的中國，並且很得忽必烈大汗的喜愛，他眞是欣喜欲狂。

馬可波羅發現，上都雖有富麗堂皇的大理石宮殿，可是，忽必烈最歡喜的，卻是另一座奇特的竹宮。

原來，蒙古人來自北方大漠，最最怕熱，每年六、七、八三個月中原溽暑，忽必烈實在吃不消，總是回到上都避暑，尤其是待在竹宮納涼。

竹宮全部是用竹子編起來的，每根竹子直徑三十公分，長十八公尺，連屋頂也是用大的竹片鋪成，竹柱上塗滿美麗的金箔或是紅漆，刻著金龍尾巴的浮雕。

竹宮最奇妙之處，在於竹宮沒有一根釘子，它跟帳篷一樣，是用兩百多根極爲強韌的繩索，四面八方網起來，而且移動方便，隨建隨拆，還可以搭在牛車上運走，想出這個點子的工程師，眞是聰明。

馬可波羅跟在忽必烈身邊，第一件有趣的事便是打獵。

大汗打獵，聲勢非凡，一聲『大王出發了！』侍衛立刻把白色的馬奶，灑在大地之上。這些奶是飼養在大王馬廄裡一萬多匹白馬擠出來的。前面我們說過，蒙古人最愛白色，認爲白色是尊貴的象徵，蒙古人相信白色的

馬奶潑地，可以保佑風調雨順，五穀豐收。

忽必烈平日豢養的小豹、小虎、獵犬與鷹、鶥這時都出了籠，作為打獵的用具，兩萬名穿著紅藍衣服的士兵，帶著一群獵犬，神氣的在前頭開路。

一路之上，忽必烈獵到的獵物，不計其數，只是馬可波羅不了解，這些野兎、梅花鹿怎麼都像送死一般，不斷的出現。

蒙古兵解釋道：『這一帶對百姓而言，是禁獵區，誰要捕殺是犯罪的，所以野兎、梅花鹿遍地都是，好讓大王玩得盡興，滿載而歸啊。』

馬可波羅心想，原來當大王這麼威風，不久，馬可波羅隨同忽必烈到了汗八里（今天的北京城），才發現大王更威風的一面：

八月二十八日是忽必烈的生日，稱之爲『萬壽節』，當天，全國各地呈獻最好的貢品，回教、基督教、佛教的教堂寺廟都舉行宗教儀式，燃燈焚香，祈禱禮讚，爲大王祝福求壽，馬可波羅也擠在人潮之中看熱鬧，並且得以進入宮內祝壽。

忽然間，他眼前一亮，宮門外進來浩浩蕩蕩一大群人，每個人打扮相同，都是那麼挺拔威武。腰上繫著金帶，綴滿珍珠寶石。

一位官員解釋道：『他們一共有一萬兩千人，都是皇上的禁衛軍，一年一共換十三套漂亮的制服，今天禁衛軍穿著紅色繡金線的衣服，是爲大王祝壽，表示吉祥之意。』

『這樣華貴的衣服，每人十三套，那麼大汗每年豈不是要賞十五萬六千套嗎？眞是嚇死人了！』

『數目雖然很大，』官員解釋道：『中國地廣富饒，盛產絲綢，並不在乎這點兒衣服。』

『假如我穿上這套衣服回威尼斯，威尼斯人一定以爲我當了國王。』

這時，宮中有侍衛吆喝：『大王駕到！』剎那之間，所有官員都跪伏在地上。

忽必烈大汗的座位在大殿的最高處，面向南方，左邊是皇后的座位，皇后左邊是皇子、皇妃和貴妃，再下一層座位是皇族，大臣的座位比皇族又低一層，整個大殿呈斜坡式，類似今天我們的階梯教室，不論有多少人，居高臨下的大汗，都可以清清楚楚的看到。

雖然大殿可以容納許多人，但是仍有許多官吏、貴人沒有座位，只能席地而坐。

接著，一隻雄獅緩緩步出，怒吼一聲，像美國米高梅公司影片的片頭一樣，到了大汗臺階之前，乖乖俯伏，好像是在向大汗致敬，然後，慢慢步向大汗腳邊，靜靜的伏下來，眞是訓練有素，爲大殿帶來了莊嚴肅穆的氣氛。

獅子行禮之後，文武百官以及所有貴賓都跪在自己座位旁邊，向大汗恭恭敬敬叩了三個頭，宴會正式開始。

於是，無數穿著整齊的侍者，忙碌的在大殿內外傳送酒菜，菜色繁多，香氣四溢，馬可波羅這輩子從未見過如此豐盛的筵席。

大殿之上，有一個由黃金打造的特大號酒缸，由專人把美酒分盛到小酒壺中，再端送到每一個桌上去。

這一切都讓馬可波羅眼花撩亂。但是，他最有興趣的，還是暗中觀察忽必烈大汗，他發現，大汗用的一切器具全是黃金製的，亮閃閃的，既氣派又貴重，馬可波羅也發現，凡是替大汗斟酒端菜的使者，都戴上繡著金線的綢布口罩，以免呼吸氣息觸及大汗的餐盤。

忽必烈的酒量顯然很大，酒興也十分高昂，每當他高舉酒杯，樂隊就開始奏樂，然後，所有的人都立刻跪下，等到忽必烈仰起脖子，一飲而盡，音樂才停止，人們才起立回座。由於忽必烈不斷的飲酒，大家也就忙著一起一跪，實在是麻煩，卻也顯見大汗之地位崇高。

酒宴之後，還有一連串的餘興節目，不論歌舞、魔術都是一時之選，讓馬可波羅大飽眼福，驚嘆不已。

閱讀心得

【第609篇】

盧溝橋又名馬可波羅橋。

宮廷的宴會散了，馬可波羅隨著父親在宮內到處遊覽，他驚異的說：

『哦，這才是眞正的皇城禁地啊！』

看了汗八里城，馬可波羅才發現，原先讚美不已的上都，相形之下，實在是小巫見大巫。

汗八里都城，屹立在大平原之中，周圍共計四十公里，每邊十公里，是正方形的一個大都城，都城有十二個城門，每座門上都建有壯大的城樓，城樓之中，建有很寬的房間，貯存著城內警衛軍所用的武器，每個城門都有一千名軍隊擔任警衛。

進了城門一看，街道又寬敞又筆直，從頭到尾，自這邊城門到那邊城門，可以一眼望去，簡直如棋盤一般整整齊齊。

尼可羅波羅帶著馬可波羅四處參觀，並且詳加解說：『說汗八里是一座城，還不如說它是世界上最美麗的一座花園，你看，這些宮殿，每一座都如此精緻華麗，所有大廳和房間的牆壁，都塗著金銀，雕刻著美女、騎士、龍虎的圖案，栩栩如生，眞是了不起的藝術作品啊！』

『最奇特的就是這座綠丘，你瞧。』馬可波羅順著父親的手勢看過去，只見距皇宮一箭之地有一座人工築成的假山，上面植滿了樹木，四季常青，

忽必烈只要聽説哪兒有棵美樹，就派人把那美樹給移植在這綠丘之上。

此外，大汗別出心裁，在綠丘各處都鋪滿了綠色玻璃礦石，使人遠遠望去，不但樹是綠的，山也是綠的，整個青翠一片。綠丘頂上，有一座宮殿，也是綠的，殿內一切用具全是綠的，使得山樹宮殿構成一片綠，忽必烈時時到綠宮之中休息，欣賞奇妙的綠色世界，想來，他特別偏好綠色。

然而，大都眞正最繁華的地方，卻是在城外，人口較城內還多。外國商人和旅客都住在城市外面，在離城門一公里半的地方，開設有不少觀光飯店，由於自各處來謁見大王的人們，向宮內販賣貨物的人們，經年不斷，因此旅舍常滿。

當時世界上最繁榮富庶之地，莫過於此，不論印度的珍奇物品，歐洲的山珍海寶，都運到這兒來，由於洋人眾多，竟然這兒還有一批專門陪洋人的娼妓，據馬可波羅的統計，這種賣笑女子共有兩萬人之多，令人咋舌。

當時運貨，多半用牛車或是駱駝車，單單運綢緞的車子，一天竟有一千車之多，可眞是熱鬧。

不過，到了夜晚，汗八里是實行宵禁的，在都市的中央，豎立著一座大鐘樓，每到晚上，就敲出哄哄的鐘聲，鐘聲三響之後，就不准在街上通行，每天晚上都有三四十人的警備車，在市區巡邏，誰超過了時間，還在街上閒逛，就要被抓起來，第二天一早，還要仔細詳加盤問，看看是否有做奸犯科之事。

馬可波羅在街上閒逛的時候，還看到一件奇怪的事。

『這是怎麼回事？』馬可波羅輕輕地問父親：『中國人怎麼拿小紙片當錢用？』

尼可羅笑著說：『這可不是普通一張小紙片，而是紙幣，紙幣上蓋有大汗的玉璽，每張紙幣上寫明多少錢，拿了這種紙幣，等於拿了金子銀子一般，可以到商店去買東西，十分方便。』

『會不會有人自己印一張呢？』馬可波羅十分的好奇。

『誰敢做這件事，抓到了可是要殺頭的啊。』尼可羅波羅很鄭重其事的說。

在馬可波羅遊記第一〇四章，他還記載了一件有意思的事：『從汗八里城出發以後，騎行十里，抵達一條長河，稱之爲桑乾河。桑乾河上面，有一美麗的石橋，其規模之大，構造之美，世界上的橋樑很少有能夠比得上的，橋長三百步，寬逾八步，可以同時騎十四馬通過，其下，有橋拱二十四，橋脚二十四，所有都由精美大理石打造。橋的兩旁架設著精美石欄，每一柱頂之上，雕刻著一隻石獅，隔一步有一石柱，石柱上的石獅都不相同，令人嘆爲觀止。』

馬可波羅介紹的這座石獅橋，就是大家所熟悉的盧溝橋。

民國二十六年七月七日，日軍駐在河北省宛平縣盧溝橋的軍隊，在舉行軍事演習的時候，竟然開炮，轟擊宛平縣城，激起我國當地駐軍的反擊，七七聖戰開始。

最近幾年，日本人不但修改教科書，企圖掩飾侵略中國的暴行，更有學者狡辯，中日戰爭第一聲槍聲是中國軍隊將領吉星文所發，因此，挑起中日之戰的是中國人。

這種説法也只有日本人才編得出，試想，天底下還有在別國駐紮大批軍隊，舉行軍事演習的嗎？這不是侵略是什麼？是日本人所謂的『進出』嗎？日本人憑什麼拿著刀槍，任意在中國進進出出，打打殺殺？

民國二十六年，盧溝橋事件爆發以後，這個地方立刻成爲世界的焦點，西洋記者來到古意盎然的盧溝橋，想起了馬可波羅遊記中所描述的，正是這座美麗的石獅橋，十分驚喜，遂把盧溝橋稱爲馬可波羅橋（Marco Polo Bridge），而稱中日戰爭前的七七事變爲馬可波羅事件。由此可知，馬可波羅遊記中所記載的，大半爲眞實的，也可見得，馬可波羅遊記在西洋人心目中份量之重，印象之鮮明。

閱讀心得

閱讀心得

閱讀心得

閱讀心得

歷代・西元對照表

朝　　代	起迄時間
五帝	西元前2698年～西元前2184年
夏	西元前2183年～西元前1752年
商	西元前1751年～西元前1123年
西周	西元前1122年～西元前 771年
春秋戰國(東周)	西元前 770年～西元前 222年
秦	西元前 221年～西元前 207年
西漢	西元前 206年～西元 8年
新	西元 9年～西元 24年
東漢	西元 25年～西元 219年
魏(三國)	西元 220年～西元 264元
晉	西元 265年～西元 419年
南北朝	西元 420年～西元 588年
隋	西元 589年～西元 617年
唐	西元 618年～西元 906年
五代	西元 907年～西元 959年
北宋	西元 960年～西元 1126年
南宋	西元 1127年～西元 1276年
元	西元 1277年～西元 1367年
明	西元 1368年～西元 1643年
清	西元 1644年～西元 1911年
中華民國	西元 1912年

國家圖書館出版品預行編目資料

全新吳姐姐講歷史故事. 27. 南宋－元代/吳涵碧著. --初版.--臺北市；皇冠，1995〔民84〕
面；公分（皇冠叢書；第2493種）
ISBN 978-957-33-1237-6 （平裝）
1. 中國歷史

610.9 84007240

皇冠叢書第2493種
第二十七集【南宋－元代】

全新吳姐姐講歷史故事〔注音本〕

作　　者—吳涵碧
繪　　圖—劉建志
發 行 人—平雲
出版發行—皇冠文化出版有限公司
台北市敦化北路120巷50號
電話◎02-27168888
郵撥帳號◎15261516號
皇冠出版社(香港)有限公司
香港銅鑼灣道180號百樂商業中心
19字樓1903室
電話◎2529-1778　傳真◎2527-0904
印　　務—林佳燕
校　　對—皇冠校對組
著作完成日期—1992年01月01日
香港發行日期—1995年09月25日
初版一刷日期—1995年10月01日
初版二十九刷日期—2021年05月
法律顧問—王惠光律師

讀者服務傳真專線◎02-27150507
電腦編號◎350027
ISBN◎978-957-33-1237-6
Printed in Taiwan
本書定價◎新台幣150元/港幣45元